Trabajadoras en casa
Sacando el mayor provecho de su tiempo

Erin Thiele

AyudaMatrimonial.com

NarrowRoad Publishing House

Trabajadoras en casa
Sacando el mayor provecho de su tiempo

Por Erin Thiele

Publicado por:
Editorial NarrowRoad
POB 830
Ozark, MO 65721 U.S.A.

Los materiales de Restore Ministries fueron escritos con el único propósito de alentar a las mujeres. Para obtener más información, tómese un momento para visitarnos en:

AyudaMatrimonial.com
EncouragingWomen.org

A menos que se indique lo contrario, la mayoría de los versículos de las Escrituras están tomados de la *Nueva Biblia Estándar Americana (NASB)*. Las citas de las Escrituras marcadas como *KJV* se tomaron de la versión *King James* de la Biblia, y las citas bíblicas marcadas como *NVI* se tomaron de la *Nueva Versión Internacional*. Nuestro ministerio no es parcial a ninguna versión particular de la Biblia, pero las **ama** a todas para que podamos ayudar a cada mujer de cualquier denominación que necesite ánimo y que tenga un deseo de obtener una mayor intimidad con su Salvador.

ISBN: 1-931800-57-X
ISBN 13: 978-1-931800-57-0
Library of Congress Control Number: 2019914067

Índice

Considera la marcha de su casa

y no come pan de ociosidad.

Se levantan sus hijos

y le llaman: "Bienaventurada".

Y su marido también la alaba:

"Muchas mujeres han hecho el bien,

pero tú sobrepasas a todas".

Engañosa es la gracia y vana es la hermosura;

la mujer que teme al SEÑOR,

ella será alabada.

¡Denle del fruto de sus manos,

y en las puertas de la ciudad alábenla sus hechos!

—Prov. 31:27–31

Dedicatoria

Este libro está dedicado a las muchas mujeres jóvenes en mi vida, especialmente mis tres hijas, Tyler, Tara y Macy. Es mi oración que las ideas, métodos, y sugerencias en este pequeño libro le ayudará en la carrera más importante en este mundo, ser una ama de casa! Es un trabajo que es más gratificante, más desafiante y más satisfactorio que ser un orador público o un autor. No soy una ama de llaves, ni tú tampoco lo eres. Somos amas de casa. Somos lo que hace del hogar un hogar.

Si su casa está limpia y ordenada, bien organizada y sin problemas, calmada y tranquila, feliz y alegre, dependerá enteramente de usted. La mayoría de las mujeres jóvenes con quien hablo no tienen una idea de por donde empezar. Cuando comencé la tercera revisión de este libro, la tuve a usted en mente cuando comenzó a tomar esta posición maravillosa y poderosa como una . . .

Trabajadora en casa!

*. . . a que sean prudentes, puras, **hacendosas en el hogar**,*
amables, sujetas a sus maridos,
para que la palabra de Dios no sea blasfemada.
—Tito 2:5

*Está atenta a la **marcha de su hogar**,*
y el pan que come no es fruto del ocio.
—Prov. 31:27

Denle el fruto de sus manos,
*Y que **sus obras** la alaben en las puertas de la ciudad.*
—Prov. 31:31

—————— Introducción 1 ——————

¡Esa demasiado perfecta mujer de Proverbios 31!

"Palabras del rey Lemuel, oráculo
que le enseñó su **madre**".
—Proverbios 31:1

Permítanme comenzar diciendo que la "Mujer de Proverbios" es completamente ficticia y que esta mujer no existe, pero por supuesto que lo sabía. Sin embargo, sentí que era importante que todos estemos de acuerdo en que ella simplemente no es real. La razón por la que tenemos que estar de acuerdo también es simple. Es porque esta "mujer" era mi héroe y yo quería ser como ella, tanto, que moldeé mi vida según ella. Luego la usé tontamente como una vara de medir para determinar qué tan bien me estaba desempeñando como esposa, madre y ama de casa. Y si tuviera que adivinar, también has estado luchando para competir con este personaje mítico.

Entonces, no sé a tí, pero esta mujer me ha perseguido lo suficiente. Toda mi vida, especialmente mi vida de casada, luché desesperadamente y me arrastré a través de mis días para ser como ella para que fuera "lo suficientemente buena" y "lo suficientemente justa" y "lo suficientemente agradable" para Dios.

Lo que descubrí hace solo unos años es que esta *no* es la vara de medir de Dios para las mujeres; en cambio, Proverbios 31 eran pautas que una madre usaba para instruir a su hijo al **elegir** una esposa, una esposa que sería su reina. Así que está bien animar a nuestros hijos a buscar una esposa así, sabiendo incluso más ahora que antes, que esta es una mujer que es casi imposible de encontrar, una joya rara y costosa. Afortunadamente, nada es imposible para Dios, y como madres podemos confiar en que Él brindará la ayuda perfecta para nuestros hijos, siempre y cuando estemos confiando en El.

En este capítulo, espero que usted entienda la verdad acerca de que la mujer Proverbios no es real. Espero que ya te haya quitado una pesada carga y un peso, igual que a mí, para que ya no *intentes* ser como ella. Desde que estoy libre de esta carga, me ha permitido la libertad y la facilidad de simplemente permitirle a Él hacerse cargo. Aunque todavía lo hago y siempre desearé agradar a mi Dios, y también a mi Señor, que ahora es mi Esposo, ya no creeré la mentira que necesito medirme. En cambio, al vivir empapada en Su amor, por más de un año, sé que no hay nada, nada que deba hacer para complacerlo, siempre que Él tenga todo mi corazón, eso es todo lo que Él quiere. ¿No es eso delicioso?

Ahora, debido a esta nueva comprensión, todo lo que hago surge de ese amor. No hay esfuerzo, ni decepción por mi parte, porque, como dije, sé que no tengo que estar a la altura. Libertad al fin: ¡Libertad para amar a los demás y libertad para disfrutar de vivir mi vida abundante!

Perdóname, simplemente no podría continuar con este capítulo sin antes indicar nuevamente este punto fundamental: tu Amado está loco por ti, tal como eres. Puede parecer imposible, irreal y demasiado bueno para ser verdad, pero solo recuerda esto, "*cuando* aún éramos pecadores. . ." Ahí es cuando murió, dio su vida por ti y por mí. No hicimos nada, fue "mientras éramos pecadores". Él no dio su vida *una vez* que nos arrepentimos o incluso *tratamos* de ser buenos. Ese es el punto. Fue cuando estábamos podridos, malos, y no teníamos ningún deseo de Él en absoluto, que Él demostró Su amor por nosotros, estirando sus brazos, esos mismos brazos que anhela abrazarnos por toda la eternidad. Así que detente y toma un momento y realmente reflexiona sobre esa verdad por un tiempo. No hay mayor verdad que exista.

Por desgracia, ahora parece un poco difícil simplemente saltar a lo que trata este capítulo cuando solo has echado un vistazo tan profundo a las profundidades de tu alma, pero otra verdad que está liberando es esta: todo lo que nos involucra es importante para nuestro Amante: todo, incluso lo mundano. Así que vamos a centrar nuestra atención en un tema mundano, el estado de nuestros hogares y cómo podemos disfrutar creando un refugio para nosotros, nuestra familia y nuestros amigos. Cómo ser simplemente el tipo de novia que nuestro Esposo quiere que seamos, un Esposo que quiere que nos sintamos libres de preocupaciones o cargas e inexplicablemente felices. Una novia que se siente satisfecha y cumplida, algo que a las mujeres de hoy en día les resulta imposible obtener a través de la lucha diaria. Esto se debe a que la mayoría de las mujeres han aceptado la mentira de que al emular a un hombre y copiar lo que hace que un hombre se sienta satisfecho nos hará, como mujeres, estar satisfechas. Mientras tanto, la verdad en Proverbios, y en toda la Biblia, Dios ha explicado bellamente cómo Él nos creó, diferentes y únicas, para nada como un hombre. "¿No has leído que el que los creó desde el principio los hizo varón y hembra?" (Mateo 19:4). Entonces, concentrémonos en lo que nos importa como mujeres, dónde vivimos y leemos este pasaje:

*"Ella **vigila** la marcha de su **casa**, y no come el pan de la ociosidad"*
(Proverbios 31:27).

Este versículo, que también es parte de esa Mujer de Proverbios 31, es algo que siempre pensé que *al menos* había cubierto, porque. . . Simplemente nunca estuve inactiva. Así que sentí que debía tener ambas partes cubiertas, la cuidé bien porque no estaba inactiva. No tan. Estas son dos áreas separadas que podemos usar para buscar la ayuda de Dios pidiéndole que nos transforme en esta área de nuestras vidas.

Nuevamente, no hay nada que podamos hacer en nosotros mismos, recuerden que Él dice: "Yo soy la vid, ustedes los sarmientos; el que permanece en **Mí** y Yo en él, ése da mucho fruto, porque **separados** de **Mí nada** pueden hacer" (Juan 15:5), pero con Dios, El promete que nada es imposible"...pero *para* **Dios** todo es **posible**" (Mateo 19:26).

Entonces, ¿por qué no, usando Su fuerza, sabiduría y unción, pídale que nos ayude a cumplir la tarea de cuidar bien de nuestras casas, con el deseo de crear un refugio para nuestra familia, nuestros amigos y para que vivamos como Su novia? Nuevamente, si intentamos hacerlo dentro de nuestra propia sabiduría o fuerza o incluso en el tiempo, nuestros esfuerzos no son más que inútiles y sin valor. Ninguna cantidad de libros de organización o nuestro plan funcionará. Sí, los libros o artículos o programas de televisión están bien para obtener conocimiento, pero solo Él puede cumplir con este (o cualquier) aspecto de nuestras vidas. Simplemente discuta esto y cualquier cosa con Él, para que Él pueda hacer que suceda, sin esfuerzo.

Limpieza de primavera

Mientras viajaba a casa desde Asia (mencioné en mi primer libro *Encontrando la Vida Abundante*, que seguí viajando por nuestra iglesia a través de nuestro ministerio de televisión), descubrí que tenía mucho tiempo para pensar y hablar con el Señor sobre muchas cosas. Una cosa que me vino a la mente en este vuelo fue el profundo deseo de tener que hacer una "limpieza de primavera". Confesión, nunca había hecho realmente una limpieza de primavera en mi vida, y por alguna razón, simplemente quería tener mi casa con una limpieza profunda y ordenada, incluyendo especialmente los roperos y cajones y armarios. Hay algo tan liberador sobre tener una casa que está libre de todo lo que no necesita o no usa. Es como si un enorme peso hubiera sido levantado de ti y de tu vida. Tal vez se debió a algo que alguien había dicho recientemente sobre el libro *Trabajadoras en casa* de Erin que he amado y seguido durante años. O posiblemente se debió a algo que tenía por delante de mí (y mi familia) y el primer paso sería la limpieza de la primavera y / o el desorden.

Independientemente de la verdadera razón, sabía que como había estado viajando mucho durante el año anterior, mi hogar realmente necesitaba un poco de atención profunda. Pero hay una lección muy importante que también aprendí el año pasado, y es que no puedo hacer nada por mí misma. Nada. Antes de este año puse mucho "yo" en todo lo que hice con solo un poco de "capa de azúcar" del Señor. Pero cuando te colocan en una posición de ser empujado repentinamente para convertirte en una madre soltera de una gran familia, además de agregar otro adolescente, entonces una hermana mayor con necesidades especiales que requiere mucha atención, y además de todo, eres enviado a viajar alrededor del mundo la mitad del tiempo, bueno, entonces te encuentras obligado a confiar en el Señor al cien por ciento, o simplemente te hundirás. Eso es lo que Él sabía que necesitaba aprender, a confiar plena y completamente en Él, para realmente descansar en Él incluso cuando había tanto que hacer que sentías que nunca lo lograrías o que estabas a punto de caer muerto del agotamiento.

Entonces, mientras volaba, simplemente le dije al Señor que me encantaría hacer la "limpieza de primavera", luego simplemente se lo entregué a Él, no una vez, sino cada vez que lo pensé. Y sí lo pensé. Cuando regresé a casa después de haber estado fuera durante casi un mes, mi hogar necesitaba mi atención, aunque todo estaba increíblemente limpio, incluso para cualquier visitante no anunciado. Le agradecí profundamente por la confirmación de que, como madre, no había descuidado la capacitación de mis hijos. Sin embargo, todavía estaba decidida a dejar que Él hiciera lo imposible y le diera el tiempo y el plan para una limpieza profunda, por supuesto, si ese era Su plan. Sabiendo de nuevo que cualquier cosa que pudiera tratar de hacer, en lugar de esperar por Él, sería una pequeña fracción de lo que Él haría, en Su tiempo, le permití que cumpliera los deseos de mi corazón. Así que esperé a ser barrida con Su plan y Su fluir.

Luego de repente, lo vi que comenzó a suceder.

Ya saben, señoras, esta es la forma en que trabaja el Señor: Él quiere que esperemos, y de repente se mueve. Es algo así como los niños que tienen un crecimiento acelerado. Esta es su manera y necesitamos saber y entender cómo trabaja Él, para que podamos dejar de preocuparnos cuando no vemos que algo sucede: **las promesas cumplidas suceden *después* de haber esperado**.

En este momento no puedo recordar con qué habitación comencé; Oh, ahora lo sé, era la habitación de mis hijas. Las había bendecido con nuevos edredones, sábanas, cortinas, etc. después de que su prima (mi sobrina) se fuera para volver a casa después de vivir con nosotros por un año. Una vez más compartían una habitación y merecían ser bendecidas por mostrar tanto amor a su prima. Dios incluso me dio ventaja porque mientras estaba fuera, uno de mis hijos se mudó a otra habitación y en realidad dobló sus ropas cuidadosamente en sus cajones. ¡Ahí fue cuando sentí esta oleada de entusiasmo y energía en mis cuatro contenedores y grandes etiquetas para comenzar a clasificar lo que había en esos cajones! Sí, yo también compré el libro Trabajadoras en casa de Erin y recibí instrucciones periódicas para seguirlo como dije. Justo en ese momento, Dios había puesto una unción sobre mí, junto con el conocimiento y la sabiduría que había adquirido con este libro y con la observación de todos esos espectáculos organizativos. Y comenzamos el trabajo!

Primero, busqué en el Señor dónde estaban esos recipientes grandes: cubos, cestas y bolsas. Aquí está la cosa, en ese momento podría haber tomado el control: yo, mis ideas, mi carne o yo tratar de seguir el libro, pero quería permanecer conectada a Su unción para poder dar toda la "gloria a Dios". Y lo que es más importante, ¡termina con el tipo de resultados que te dan ganas de bailar y gritar!

Inmediatamente Dios me guió a través de la casa y en el garaje, recogiendo lo que necesitaba. Etiqueté las hojas grandes de papel: # 1 tirar, # 2 regalar, # 3 hacer à un lado, y # 4 guardar. Tanto en el contenedor # 1 como en el # 2, puse una bolsa de basura negra grande para facilitar el movimiento del #1 a la basura y del # 2 al maletero de mi auto. (Si aún no has leído el libro de Erin, *Trabajadoras en casa*, llévate o mejor aún, consigue uno; ya que lo que digo tendrá más sentido a medida que avancemos). Estos recipientes alinearon 1–4 y les expliqué a mis hijas que este es el método para limpiar *cualquier* habitación, *cualquier* cajón, *cualquier* armario o *cualquier* automóvil, *cualquier cosa*.

Entonces, nuestro objetivo, expliqué, era eliminar todo lo de "donde" se sintiera llevado a trabajar: en un cajón, en el armario o debajo de la cama, y luego preguntar al Señor, si es que:

1 tirarlo (¿está dañado y no es digno de ser dado a alguien?), O

2 regalarlo (¿ya no lo usas o lo necesitas o lo has superado?), O

3 guardarlo (no pertenece a su habitación; no le pertenece a usted), O

4 Almacenarlo (vuelve al armario o gaveta que acaba de limpiar; no debajo de la cama).

Les dije a mis chicas que su objetivo era tratar de poner todo lo que pudieran en el # 1, luego en el #2 y así sucesivamente, para que el # 4 se quedara solo con lo que Dios quería que mantuvieran, el resto, dejarlo ir.

Para ayudar a mis hijas, me sentí obligada tomar un tiempo y comer algo, cuando Él comenzó a hablar a través de mí, la sabiduría fundamental que compartiré en el próximo capítulo.

~ Michele
Autora de la serie de Vida Abundante de RMI

——— Introducción 2 ———

Lecciones en sabiduría

". . .No abandones la enseñanza de tu madre;
Porque son guirnalda de gracia para tu cabeza".
—Proverbios 1:8-9

Como dije en el último capítulo, el Señor quería que me sentara y durante una comida, tomé tiempo para compartir algo de sabiduría fundamental con mis niñas. Comencé por explicar que gran parte de lo que TODOS hemos almacenado fuera de la vista, como en nuestros cajones y armarios, son cosas que simplemente no usamos o necesitamos. ¡Y las cosas que incluso consideramos regalar a menudo están dañadas y no son dignas de ser entregadas a ningún alma pobre!

Además, también expliqué que también sobreestimamos en gran medida el valor de nuestras *cosas* y sentimos que o bien necesitamos #1) "ganar dinero" (lo que significa ganar algo de dinero para aquellos que están fuera de los Estados Unidos y no estamos familiarizados con ese término) y venderlos a una tienda de consignación o en una venta de garaje, o # 2) nos aferramos a ella hasta que podamos pensar en *quién* podría beneficiarse de cada *cosa*, pero en realidad solo crea desorden y está enterrado en un cajón, closet, armario o incluso en una bolsa de regalo que se encuentra allí, nunca utilizada por nadie, o # 3) simplemente acumulamos nuestras cosas, olvidando que todo lo que tenemos es de ÉL y si no lo estamos utilizando, debemos preguntarle a Él qué debemos hacer con eso.

La mayor parte de lo que la mayoría de nosotros posee, estoy convencida, son cosas que podrían bendecir a otra persona, pero en lugar de eso decidimos acumularlo, ocultando lo que podría bendecir a alguien. También les pedí a mis hijas que miren hacia arriba y marquen estos versículos en sus Biblias, "No niegues el bien a quien se le debe, Cuando esté en tu mano el hacer*lo*. No digas a tu prójimo: "Ve y vuelve, Y mañana te *lo* daré". Cuando lo tienes contigo" (Proverbios 3:27-28). "Hay quien reparte, y le es añadido más, y hay quien retiene lo que es justo, sólo para venir a menos" (Proverbios 11:24).

Acaparamiento ahora se considera una enfermedad, pero, por supuesto, como dice Erin sobre la mayoría de las enfermedades recientemente etiquetadas, es simplemente pecado, como el pecado del egoísmo. Es por eso que he venido a mirar estas *cosas* escondidas en nuestros cajones y armarios, como los talentos de los que Jesús habló, que el único siervo **in**fiel ***enterrado*** que lo hizo enojarse tanto. Vamos a leerlo juntos:

"Porque *el reino de los cielos es* como un hombre que al emprender un viaje, llamó a sus siervos y les encomendó sus bienes. Y a uno le dio cinco talentos, a otro dos y a otro uno, a cada uno conforme a su capacidad; y se fue de viaje. El que había recibido los cinco talentos, enseguida fue y negoció con ellos y ganó otros cinco talentos. Asimismo el que *había recibido* los dos *talentos* ganó otros dos. Pero el que había recibido uno, fue y cavó en la tierra y escondió el dinero de su señor.

"Después de mucho tiempo vino el señor de aquellos siervos, y arregló cuentas con ellos. Y llegando el que había recibido los cinco talentos, trajo otros cinco talentos, diciendo: 'Señor, usted me entregó cinco talentos; mire, he ganado otros cinco talentos.' Su señor le dijo: 'Bien, siervo bueno y fiel; en lo poco fuiste fiel, sobre mucho te pondré; entra en el gozo de tu señor'".

"Llegando también el de los dos talentos, dijo: 'Señor, usted me entregó dos talentos; mire, he ganado otros dos talentos.' Su señor le dijo: 'Bien, siervo bueno y fiel; en lo poco fuiste fiel, sobre mucho te pondré; entra en el gozo de tu señor.'

"Pero llegando también el que había recibido un talento, dijo: 'Señor, yo sabía que usted es un hombre duro, que siega donde no sembró y recoge donde no ha esparcido, y tuve miedo, y fui y escondí su talento en la tierra; mire, *aquí* tiene lo que es suyo.'

"Pero su señor le dijo: 'Siervo malo y perezoso, sabías que siego donde no sembré, y que recojo donde no esparcí. 'Debías entonces haber puesto mi dinero en el banco, y al llegar yo hubiera recibido mi dinero con intereses. 'Por tanto, quítenle el talento y dénselo al que tiene los diez talentos.'

"Porque a todo el que tiene, *más* se le dará, y tendrá en abundancia; pero al que no tiene, aun lo que tiene se le quitará. Y al siervo inútil, échenlo en las tinieblas de afuera; allí será el llanto y el crujir de dientes" (Mateo 25:14-30).

Por lo general, pensamos que los talentos en este versículo son nuestras habilidades o dones especiales que Dios nos ha dado y que podemos usar como voluntarios o simplemente para ayudar a nuestro prójimo, pero no lo hacemos.

A veces aplicamos el versículo del talento oculto cuando enterramos y acumulamos el dinero que podría fluir en nuestras vidas si no fuéramos tan egoístas o temerosos y, en cambio, optáramos por bendecir a la iglesia, un ministerio o personas necesitadas con una ofrenda. Pero de lo que estoy hablando en este capítulo son las cosas reales que guardamos y enterramos porque creemos que podemos necesitarlas para nosotros (o, como también pensé, para guardarlas para otra persona que pueda querer estas cosas que son viejas y anticuadas "algún día"). **No más.** A partir de ese mismo día, mis hijos y yo prometimos dejar de lado todo lo que pudiera bendecir a los demás: nuestro tiempo, nuestro amor y también las cosas en nuestra casa que no necesitábamos ni usábamos. Y esto también incluye cualquier dinero que no necesito en este instante (de todas formas, toda la plata y el oro son Suyos, por lo tanto, cualquier dinero que necesito está justo ahí, todo lo que necesito hacer es dar cuando Él me dice que dé y usarlo à Su manera según Él me guíe), por lo que tampoco vendemos nada.

Oye, esto es increíble, acabo de recordar que recibí una pequeña nota adjunta a una donación muy importante de un miembro de la iglesia que dijo que estaba ahorrando el dinero que me envió para cuando su esposo regrese a casa y cuando las cosas salieran mal podría "salvar el día". ¡Ella dijo que en cambio se había dado cuenta de que ella no era la salvadora de su marido! Su testimonio de matrimonio restaurado también me fue enviado por correo, ¡y lo escribí y lo presenté a RMI!

Con el plan fundacional establecido y todos nosotros de acuerdo, comencé a trabajar con mi hija menor mientras abordábamos sus cajones y luego nos metíamos en el armario compartido. Juntas, las tres, sacamos cada artículo del armario y lo pusimos en *uno* de los cuatro contenedores. A menudo había tentaciones de parte de las chicas para encontrar algo y querer llevarlo a un hermano (que había estado buscando algo) o un amigo vecino (a quien creían que le gustaría), o incluso simplemente ponerlo en otra habitación o justo afuera de la puerta. Pero los detuve y les expliqué que este es un error común en la mayoría de las personas y por qué fallan y nunca vuelven a tener éxito en la limpieza profunda. Debe usar el contenedor "guardado" n.º 3 y resistirse a salir de la habitación. Debes resistir esto y toda tentación de distracción para terminar el curso de acción o terminarás con un desastre mayor del que comenzaste. Aunque algunas personas le dirían que se asegure de elegir una hora o un día para dedicar el tiempo suficiente para abordar un trabajo como este (habría dicho lo mismo hace un año), ahora le diré que cuando el Espíritu te mueve es el momento adecuado, incluso cuando la cabeza te indique que debes hacerlo más tarde en un momento más oportuno.

Una vez más, de acuerdo, y también resistiendo las tentaciones de abandonar la habitación, muy pronto, con todos nosotros trabajando juntos, llenamos una bolsa de regalo #2, la cual cerré y la coloqué justo afuera de la puerta con cuidado de no bloquear la puerta de entrada de la habitación. Miramos cada prenda de vestir que estaba en una percha e hicimos una pregunta rápida al Señor: "¿Necesito esto?" Y luego lo colocamos cuidadosamente en la cama si se suponía que lo guardáramos, o lo quitábamos de la cama y colocábamos en una de las bolsas cuando Él nos hubiera pedido que lo entregaramos.

La mayor bendición terminó no siendo el resultado final de la sala limpia o con lo que pudimos bendecir a otros. Esta tarea resultó ser una gran experiencia de aprendizaje para mis niñas: no solo para ser buenos "guardianes del hogar", sino también espiritualmente: aprender a escuchar y responder al Señor. Experimentaron cómo hablarle al Señor, en lugar de preguntarse a sí mismas, y luego responder a Sus indicaciones. También se entusiasmaron cuando vieron cómo Él atraía su atención a un roto o mancha en una prenda que debía ser tirada, o les daría una sabiduría instantánea de que ya no era su estilo; por lo tanto, nunca lo usarían. A veces, les pedía que se lo probaran rápidamente para ver si todavía les quedaba.

También les enseñó a abandonar lo que realmente no necesitaban.
Esta es una tremenda lección en sí misma. Todos queremos guardar y
atesorar cuando tenemos que soltarlo: no dejaremos ir a las personas
en nuestras vidas, nuestro dinero, nuestras cosas o incluso nuestras
obsesiones que sabemos que están mal (porque nos quitan tiempo y
devoción al Señor). Otro punto que me gustaría hacer, si hubiera
hecho esta tarea yo misma, sin incluir a mis hijas, habrían perdido esta
lección espiritual, y también, habrían perdido la decisión de dar o tirar
cosas, pero eso no es todo. Nunca cometa el error de pasar por las
cosas de otras personas sin ellos, para que no se vuelvan amargados o
resentidos cuando más tarde descubran que algo no está allí (que
usted regaló o tiró). Esto es especialmente cierto para su esposo, ya
sea que viva con usted o incluso si no lo hace.

Si no estás viviendo con alguien (esposo o hijo adulto), simplemente
reúne todas sus cosas y ponlas en cajas para entregarselas. Puede
ofrecerse amablemente para ayudar a este miembro de la familia que
se ha mudado a revisar sus cajas, pero asegúrese de que de alguna
manera ellos tengan sus cosas en su posesión.

Cuando mi ex esposo se fue la primera vez, me aferré a cualquier
posesión suya como un ídolo. Imaginate. Simplemente no podía
soltarlo; Por eso, tuve mucho dolor que continuó a lo largo de su
ausencia. Si hubiera tenido suficiente con el Señor y Su amor, habría
podido soltar con mi corazón. Esto se aplica a las mujeres cuyo hijo o
hija (o incluso madre o padre) se ha ido, por cualquier motivo: se
mudó, se escapó, o incluso murió por causas naturales o se lo quitaron
repentinamente. Tenemos que soltar para que Dios pueda llenar ese
vacío, el vacío que llenamos con las cosas. Es como un tumor que está
dentro de nuestros corazones, tiene que ser removido para que sane.

Milagro precipitado

Déjame saltar aquí con una historia corta. Hace casi seis meses, mi
hermana estaba a punto de adoptar a su primer bebé. Ella había
esperado este milagro durante años, pero justo al final, la madre
biológica decidió quedarse con su bebé. Mi hermana estaba
comprensiblemente devastada. Después de dedicar mucho tiempo a

consolarla, busqué al Señor por Su sabiduría cuando un día estuve convencida de que ella se haría daño a sí misma. Cuando ella me rogó que la ayudara, lo que salió de mi boca fue tan impactante para mí como lo fue para ella. Le dije que necesitaba ponerse en contacto con la madre biológica y bendecirla con todos los artículos para bebés que había comprado y recibido como regalos, que eran para ese bebé y que Dios la bendeciría a través de ella. Que yo sepa, ella nunca tomó mi consejo; y desafortunadamente ella no me ha hablado desde entonces. Pero esto sí lo sé, ella todavía está sufriendo horriblemente y ha estado llenando su vida con más cosas, mientras que las cosas del bebé acumulan polvo.

¿Donde almacenar?

Ahora volvamos a las cosas que tiene para la familia que no están viviendo con usted: si no pueden obtener sus cosas, simplemente pregúntele al Señor *dónde* usted puede guardarlas. No asuma que necesita mantenerlos. Cuando tenga un pensamiento, una imagen en su mente, o escuche una palabra, simplemente obedézcala. No te preocupes si puedes estar equivocado, Él puede arreglarlo más tarde; simplemente sal de lo que crees que Él te está diciendo o mostrándote. Este es el primer paso para escuchar al Señor.

¡Oh, un beneficio más de tener a la persona con usted cuando clasifica las cosas para dar o desechar, si no invierten en el proceso, no lo mantendrán de esa manera! Como madre, estas son lecciones de "entrenar a un niño" que normalmente ya no se enseñan. Puede que no los hayas aprendido, ¡pero eso hace que aprender juntos sea aún más divertido!

Una vez que el armario, la cómoda y la cama se vaciaron por completo, le pedí a mi hija menor que limpiara la habitación y el armario, mientras que la otra hija la seguía, limpiaba el estante del armario y limpiaba cada cajón de la cómoda. Como mis chicas, ¡te sorprenderás de cómo te sientes cuando todo está limpio! Entonces el proceso comenzó a mejorar aún más. Luego comenzamos a colgar la ropa en su armario muy limpio, la ropa que habíamos tendido en la cama, junto con algunos artículos en la # 4 almacenar (lo que se remonta en esa cómoda o el armario que acaba de limpiar; simplemente no debajo de la cama). Luego hicimos lo mismo con lo que iba en su cómoda.

Y como antes, los alenté a **hablar y pedir al Señor** que los ayudara a saber qué hacer al recoger cada elemento, pidiéndole que les dé sabiduría, recordándoles el versículo, "Y si a alguno de ustedes le falta sabiduría, que se *la* pida a Dios, quien da a todos abundantemente y sin reproche, y le será dada" (Santiago 1:5 NBLH).

Sorprendentemente, en el lapso de unas pocas horas, mientras pasábamos tiempo juntas riéndonos, hablando y cantando, ¡finalmente salimos, nos giramos y nos detuvimos en la puerta de su nueva y hermosa habitación! Y las bendiciones tampoco se detuvieron …

¡En el transcurso de una semana, justo antes de que mis hijos se dirigieran a la boda de su padre, el Señor nos hizo conquistar tantas habitaciones en nuestra casa! ¡Wow, fue tan increíblemente liberador! Una habitación en la que nunca pensé: el baño, ¡Dios también nos hizo hacerlo! Como antes, a través de una serie de eventos (cuando no pude encontrar el medicamento para el oído para mi hijo que tenía agua en su oído), inmediatamente recibí una unción que me golpeó.

Como antes, les pedí a mis hijas que se unieran a mí, comenzando por sacar *todo* del baño en cubos grandes (y quiero decir todo). Oh, qué maravilloso Esposo tengo y maravilloso Padre para mis hijos. ¡Sabía cuánto necesitaba limpiarse este baño ya que había tres chicas compartiendo ese espacio durante casi un año! Y agregó otra faceta a la organización de este espacio, y eso fue: clasificar juntas "cosas como". Esto fue algo que el Señor me llevó a hacer mientras tirábamos la mayoría de nuestros contenedores vacíos en la basura.

En nuestra mesa de la cocina, nos llevó a sentarnos juntos y luego agrupamos "artículos similares": artículos para el cabello (champú, cepillos, cintas para el cabello de goma); artículos de higiene bucal (cepillos de dientes, enjuagues bucales, hilo dental, productos para blanquear); artículos para la cara (maquillaje, limpiadores, etc.); artículos para el cuerpo (maquinillas de afeitar, lociones); cosas de niña (como mis niñas se refieren a su tiempo mensual); y primeros auxilios (vendas, alcohol, pomada antibiótica). Y para mantener ocupada a la hija menor (ella tiende a pasearse), la tuve parada en el fregadero, lavando los recipientes de plástico que ayudan a organizar los cajones. Si organizar los "artículos similares" no es la forma en que se clasifican sus cajones, armarios / guardarropas y armarios, esta es la forma en que los organiza. Pídale a EL para estar segura.

Una vez que se hizo la clasificación y se lavaron los recipientes de plástico para que todo pudiera ser devuelto a su recipiente, juntas limpiamos y lustramos el baño, que es mucho más fácil cuando está vacío, voilà, ¡en realidad parecía una casa nueva otra vez! Luego hice que cada una de las chicas tomara la marca personal de champú que usaban y la pusiera en la ducha. A continuación, le pedí a cada una de las niñas que recogieran sus artículos personales y eligieran uno de cada uno de los cuatro cajones. Luego, como quedaron cajones vacíos, juntamos todos los artículos eléctricos (secadores de pelo, rizadores calientes y planchas alisadoras) para el cajón más cercano al lado del tomacorriente y pusimos las cosas de las chicas (como mis niñas se refieren a su tiempo mensual), Discretamente en el cajón inferior.

De vuelta en la cocina, reunimos el resto de los artículos y los colocamos en sus grupos en las estanterías del baño (de acuerdo a donde encajen; según su altura) y ETIQUETAMOS cada estante. Wow, sí, esta fue una organización "exagerada", ¡todo porque Él lo hizo! También etiquetamos el borde interior de cada cajón, de modo que pudiera abrir fácilmente para ver quién no mantenía su cajón limpio y organizado.

Esto, queridas madres, es algo que les animo a hacer todos los días: camine por su casa "mirando bien las formas de su hogar" y dé a cada habitación, cajón y armario una mirada rápida para que sus hijos la mantengan limpia. Luego, pronto, puede hacer una tarea de seguimiento solo una vez a la semana para verificar todo y, luego, ¡solo una vez al mes! Personalmente, me gusta caminar con mi taza de café justo antes de que todos se despierten o simplemente se muevan, así que también puedo repartir besos a los ojos recién abiertos.

Al principio, pensé que el seguimiento era simplemente otra "tarea" para la que no tenía tiempo. Sin embargo, una vez que lo configuré como una notificación de la oficina en mi teléfono, descubrí que durante el seguimiento, ¡experimenté la misma EMOCIÓN que recibí cuando lo terminamos! Y como dije, con el café en la mano y repartiendo besos matutinos a los niños que estaban despiertos, ¡se convirtió en algo que esperaba!

Ah, pero ¿qué hay de esas cosas que encuentras que están fuera de lugar en sus cajones o armarios?

Bueno, al principio solo me encargué de eso: lo doblé, lo puse donde pertenecía. En otras palabras, fui yo quien se ocupó de ello. Hasta que el Señor me convenció de que esta era la manera perezosa. Así que en lugar de eso, simplemente lo dejé y les pedí a los niños que arreglaran su desorden, mientras observaba, ¿y saben qué? Esa es la única forma de librar a alguien de un mal hábito, no arreglarlo usted mismo, sino pedirle a la persona que lo haga. Si limpia o arregla algo, no creará un cambio permanente porque no hay ninguna consecuencia. Y algo más...

El Señor comenzó a enseñarme, como lo he buscado recientemente para entrenar a mis hijos (ya que me he ido gran parte del tiempo), que a menos que también **agregue** trabajo a lo que ellos no hicieron, nosotras somos las que tenemos la carga, no donde la carga debe recaer, sobre ellos. Esto es nuevo para el entrenamiento de mi hijo, y está funcionando muy bien ya que esto era sabiduría de Dios.

Lo que el Señor me guió a hacer (cuando finalmente me cansé de volver a hacer y volver a limpiar) fue sacar esos artículos de los cajones o armarios y luego pedir a alguien que los pusiera de nuevo ordenadamente o a dónde pertenecía. Además, sé que cuando tienes más de un niño compartiendo una habitación, a veces es difícil saber quién está haciendo las cosas sucias con algunos artículos que quedan, pero eso es cuando puedes pedirle al Señor que te guíe. ¡Él necesita estar en el centro de todo si queremos vivir una vida de paz y tranquilidad! Y si comete un error y pregunta a la persona equivocada, entonces puede reclamar el doble. Isaías 40:2, "Hablen al corazón...Y díganle a voces que su lucha ha terminado, Que su iniquidad ha sido quitada, Que ha recibido de la mano del SEÑOR El DOBLE por todos sus pecados." Y enseñe el principio a la persona que fue obligada a hacer algo injusto, citando a Isaías 61:7-8, En vez de su vergüenza tendrán doble porción, Y en vez de humillación ellos gritarán de júbilo por su herencia. Por tanto poseerán el doble en su tierra, Y tendrán alegría eterna. Porque Yo, el Señor, **amo el derecho,** Odio el robo . . .Fielmente les daré su recompensa, Y haré con ellos un pacto eterno".

Oh, una parte que olvidé, no solo debes tomarte un momento para regocijarte por lo que Él ha hecho, sino que **también debes cuidar esos contenedores**. Asegúrese de atar inmediatamente y tirar la basura. Coloque las bolsas directamente en el maletero de su automóvil o en algún lugar que sepa que se asegurará de que **salga** de su hogar y de las manos de una institución de caridad (la que Él le recuerda, y nunca vuelva a cuestionar al Espíritu Santo si quieres escuchar de Dios). La regla es: "Nunca dejes contenedores *en* la habitación o será un imán para que se acumulen más cosas o, lo que es peor, ¡alguien mirará a través y sacará cosas!"

Regla de meter y sacar

Use la regla de METER y SACAR para mantener cada habitación que acaba de despejar y ahora libre de desorden: "una para meter, una para sacar; dos para meter, dos para sacar"cuando compras algo. Esto simplemente significa: si compras dos camisas, regala dos camisas. Si compras un par de zapatos, regala un par de zapatos. Esta regla le impedirá acaparar o abarrotar su hogar nuevamente.

Nuestros hogares deben ser un refugio que sea fácil de mantener limpio y organizado; sin embargo, aparte de Él, no podemos hacer nada como Juan 15 5 dice: "Yo soy la vid, ustedes los sarmientos; el que permanece en Mí y Yo en él, ése da mucho fruto, porque separados de Mí nada pueden hacer".

Si estos dos capítulos han despertado el deseo de cambiar tu vida, no te arremangues y no te pongas a trabajar. En su lugar, tómese un momento y simplemente hable con el Señor acerca de sus deseos, luego deje su deseo con Él cada vez que le venga a la mente. Luego, de repente, Él se moverá y le dará los deseos de su corazón junto con la unción, lo que le dará un hogar limpio, ordenado y libre, mientras bendice a otros con las cosas que simplemente no necesita, y si tiene hijos, una manera de entrenarlos para siempre y para siempre confiar en Él!

¡Si tiene un testimonio de cómo el Señor ha estado tratando con usted y su hogar, entonces envíe un testimonio de alabanza o posiblemente un formulario de Lo que aprendí para bendecir a todas las que visitan RMI! ¡No esperes, hazlo hoy para dar gloria a Aquel que merece todos nuestras alabanzas!!

~ Michele
Autora de la serie de Vida Abundante de RMI

Capítulo 1

Sacando el mayor provecho de su

Vida

Sean alabadas sus obras!

Muchas mujeres han obrado con nobleza,
pero tú las superas a todas…
Dadle el fruto de sus manos,
y que sus obras la alaben en las puertas.
—Prov. 31:29–31

Cualquiera que haya conocido mi historia pensaría que es muy gracioso que ahora soy conocida por ser una mujer que organiza y mantiene su hogar limpio y reluciente. Esto demuestra que Dios verdaderamente tiene sentido del humor, y ¡que con Dios todas las cosas son posibles!

Cuando me casé, yo no podía cocinar, ni sabía cómo mantener un hogar. Nadie me enseñó y tampoco tenía un ejemplo a seguir.

Mi madre, a quien bendigo, amaba a sus hijos (a los siete), pero debido a que ella creció en una familia adinerada con servidumbre, y ya que era hija única ¡ella nunca aprendió a **hacer nada!** Cuando era muy joven (con tan solo 16 años y aún en un campamento de la Niñas Scout), ella se fugó con mi padre, quien también había sido criado en una familia adinerada.

La madre de mi madre (mi abuela), nunca permitió que ella estuviera en la cocina o que pasara tiempo alrededor de la servidumbre. ¡Ella nunca guardó su ropa o incluso se vistió a ella misma! Sus comidas le eran servidas. Mi padre comía en el comedor de un hotel en el que vivía con su familia en el pent-house.

Para la época en la que yo nací (soy su sexta hija), mi madre llevaba años de desorganización y de comidas quemadas. Mi padre contrataba empleadas domésticas de forma frecuente, pero eran despedidas pronto porque mi madre sentía que ellas eran "intrusas", y solo le recordaban acerca de su infancia tan infeliz.

Nuestro cuarto de lavandería, cuando yo estaba creciendo, tenía ropa sucia apilada que se lavaba "quizás" mensualmente. Las comidas siempre se servían tarde y por lo general quemadas. Mi madre cocinaba una docena de comidas que se repetían una tras otra vez. ¡La mayoría de nosotros (sus hijos) tratábamos de que los vecinos nos invitaran a cenar, o comíamos un plato de cereal!

Sin embargo, mi madre realmente nos amaba–¡todos sabíamos eso! Fue debido a su amor que todos resultamos bastante bien. Quizás estábamos un poco traumados por el hogar en el que crecimos, ¡pero gracias a Dios, casi todos nos podemos reír de eso ahora! Mis hermanas, lamentablemente, nunca aprendieron a mantener un hogar. Todas ellas cocinan mejor que mi madre, pero sus hogares–bueno, eso ya es otra historia.

Mis hermanos se casaron con mujeres que mantienen sus hogares lindos y limpios (bueno, al menos dos de ellos). En cuanto a mí, es "cuestión de Dios" que mi hogar se mantenga limpio y bien organizado, con buenas comidas hogareñas. Así como con cualquier otra área de mi vida, Dios me ha llevado de la tragedia al triunfo. ¡Yo debí haber seguido los mismos pasos de mi madre, pero Dios me liberó y Él está a punto de liberarte a ti también! Afortunadamente, hoy mi hogar se mantiene siempre limpio y ordenado. Tenemos comidas en la mesa a la misma hora cada día, y ¡gracias a Dios no he quemado nada desde hace años!

Para romper con este ciclo aún más, yo continúo instruyendo a mis hijas para que cuando se casen, estén bien preparadas para mantener sus propios hogares. Todas ellas (incluso mis hijos) han aprendido a lavar ropa, a limpiar y a cocinar. Es mi deseo motivarlas a convertirse en verdaderas mujeres mayores que le enseñarán y motivarán a las jóvenes a hacer lo correcto y que ayudarán a al menos una de ellas a transformar su casa en un hogar. ¿Haría usted eso? Si tiene hijas, esperemos que ellas estén dispuestas a escucharla y a aprender de usted. Si no, ore y espere en Dios para ver en quién quiere Él que usted siembre.

Y para todas aquellas de ustedes que nunca han sido instruidas adecuadamente, ¡yo soy su mujer mayor! Mi comienzo muestra que no importa en donde usted esté, o de donde venga, Dios la puede liberar para verdaderamente disfrutar el convertir su casa en un hogar. Este libro le dará lineamientos, pero será DIOS quien la transforme y Su Espíritu Santo el que la guíe mientras usted lo busca a Él continuamente.

Mi ministerio consiste en motivar a las mujeres en cada área de sus vidas. Aparte de mi propio testimonio, mi misión es compartir principios que literalmente cambiarán su vida una vez que usted los ponga en práctica. A continuación encontrará el primero:

"Mirándolos Jesús, dijo: Para los hombres es imposible, pero **no** *para* **Dios**, porque **todas las cosas son posibles para Dios.**" (Marcos 10:27).

Si su problema es mantener un hogar limpio, puede parecerle imposible con su ajetreado horario, pero no *con* Dios—¡todas las cosas son posibles *con* Dios!

Si su problema es mantenerse organizada, puede parecerle imposible con su personalidad, pero no *con* Dios—¡todas las cosas son posibles *con* Dios!

Si su problema es mantener limpia la ropa, puede parecerle imposible con todos los niños que usted tiene, pero no *con* Dios—¡todas las cosas son posibles *con* Dios!

Si su problema es cocinar, puede parecerle imposible porque a usted nunca le ha gustado estar en la cocina, pero no *con* Dios—¡todas las cosas son posibles *con* Dios!

Dejar entrar a Dios

No importa el área problemática de su vida, cuando Dios entra en esa parte de su vida, ¡cambiará! La mayoría de nosotras nunca dependemos de Dios o le pedimos Su ayuda, sino que luchamos por hacer las cosas con nuestras propias fuerzas, confiando en nuestro propio entendimiento de qué es lo que debemos hacer. No es sino hasta que *ya no podemos* dar más que clamamos a Dios por ayuda. ¿Por qué esperar?

No importa lo grande o pequeño que sea su problema, el Señor *quiere* **ayudarle**. ¡Él *ansía* tener piedad de nosotros! ¡Maravilloso! "Por tanto, el Señor **espera** para tener **piedad** de vosotros, y por eso se levantará para tener compasión de vosotros. Porque el SEÑOR es un Dios de justicia; ¡cuán bienaventurados son todos los que en Él esperan!" (Isa. 30:18).

La Biblia dice que Él realmente está buscando corazones que estén totalmente entregados a buscarlo a Él, para que Él pueda sostenerlos fuertemente en sus esfuerzos. "Porque los ojos del Señor recorren toda la tierra para fortalecer a aquellos cuyo corazón es completamente suyo... (2ª. Crónicas 16:9). Él quiere darnos los deseos de nuestro corazón, desde una casa limpia, hasta ropa limpia y un hogar que se administre eficientemente. "Pon tu delicia en el Señor, y Él te dará las peticiones de tu corazón. Encomienda al Señor tu camino, confía en El, que El actuará." (Salmos 37:4-5).

A Dios le encanta mostrarse fuerte en nuestro nombre, especialmente en los casos más desesperanzadores como el mío (y quizás como el suyo), ¡para que Él pueda obtener TODA la gloria! "He aquí, yo soy el Señor, el Dios de toda carne, ¿habrá algo imposible para Mí?" (Jer. 32:27)

¿Así que de qué manera alguien como yo aprendió a ser conocida por su organización y por mantener un hogar que se administra adecuadamente, *a la vez que tenía* siete niños que cuidar y un ministerio operando desde nuestro hogar? **Buscándolo a Él *y* a través de la humildad.**

Buscándolo a Él

Cuando aún era muy joven (quizás tenía unos doce años), me recordé de lo frustrante que era no encontrar ropa que ponerme. Mi madre nos daba una enorme cantidad de ropa (como una vez al mes), y luego nosotros la poníamos en cualquier gaveta en la que hubiera espacio. Mientras yo oraba a través de mi frustración (yo había aceptado al Señor como mi Salvador cuando tenía siete años, aunque fui criada en un hogar católico), ¡el Señor me dio una maravillosa idea! Yo pensé, "Hey, no sería una idea grandiosa si hubiera una gaveta para los tops, una gaveta para los pantalones, una para la ropa interior y calcetas, etc...?" Así que organicé mis gavetas, pensando siempre que se me había ocurrido una nueva idea. Fue hasta años después que descubrí que esta era la manera en la que la mayoría de personas vivían.

Cuando me case con mi esposo, él me dijo que su madre limpiaba los baños regularmente. ¡Yo estaba sorprendida! ¡En verdad le dije! ¿qué tan seguido? Él me contestó, "creo que una vez a la semana." Luego él me explicó que debía aspirar la casa regularmente y realizar otras "tareas" (una palabra que yo pensaba que únicamente se aplicaba a las personas que vivían en una granja) de forma diaria, semanal y mensual.

El conocimiento era de ayuda, pero como yo no había crecido en un ambiente como eso, yo no sabía cómo adecuarlo a mi vida diaria. Mientras oraba, el Señor trajo a mi mente un método que mi hermano me enseñó usando tarjetas de 3x5 que me ayudaron a tener excelentes notas en la universidad. Así fue como comenzó mi método de las tarjetas de 3x5. (Usted leerá de este método en uno de los capítulos más adelante.)

Humildad

Fue a través de la humildad que aprendí a cocinar. Durante los dos años que estuve buscando a Dios para la restauración de mi matrimonio, yo ayuné MUCHO. La Biblia dice que ayunar hace el corazón humilde.

Fue fácil comenzar a aprender a ayunar durante este período de mi vida, ¡porque en realidad yo *no podía* comer! Estaba muy dolida desde que mi esposo estaba viviendo con otra mujer y fui abandonada con cuatro niños pequeños que cuidar. En nuestro ministerio, llamamos a esto "la dieta de la infidelidad."

Así que ya que yo "no podía" comer, pensé que sería bueno sacarle provecho a esta situación y ayunar con un propósito. Mientras ayunaba, me encontré por primera vez emocionada por cocinar y alimentar a mis hijos. Esto también debía ser "algo de Dios", ¡encontré que me resultaba placentero *verlos* comer!

Además, por primera vez, admití que no era una buena cocinera. Ya había comenzado mi ministerio para mujeres y durante nuestras reuniones, yo decía frecuentemente que no podía cocinar. El resultado fue que muchas mujeres vinieron en mi ayuda para enseñarme. Me dieron recetas fáciles e incluso se pararon a mi lado para enseñarme como hacer cosas tan simples como pelar una manzana para hacer un pastel de manzana.

Para la época en la que Dios restauró mi matrimonio dos años después ¡Dios me había transformado en una buena cocinera! Mi esposo regresó al hogar a una esposa que podía cocinar (y muchos otros cambios). Dios incluso fue fiel en cambiar a mi esposo, quien debido a las muchas dificultades que vivió junto a la OM (otra mujer), que es lo que Dios nos dice que pasará a un hombre que está en adulterio, ¡aprendió a arreglar las cosas en la casa y en el carro! ¿Acaso no es Dios sumamente fiel?

La falta de humildad no era lo único que se interponía en mi camino en cuanto a cocinar. La causa principal era la creencia y aceptación de una mentira. Honestamente le diré que yo nunca quise ser una buena cocinera, porque pensaba que todos los buenos cocineros eran gordos. Mi madre era una mujer grande y yo no le quería agregar "ser una buena cocinera" a mi genética que se inclinaba hacia la obesidad.

Si esa es su preocupación, entonces deje que la verdad la libere, ¡eso es una mentira que de la fosa de "ya sabe dónde"! NO existe maldición que pueda tocarla porque fue rota cuando el Señor murió en la cruz por usted y por mí. Si usted es una hija de Dios, ¡la maldición no tendrá efectos sobre usted, a menos que usted la acepte! Aquí está la prueba:

Algunos años atrás, en realidad justo después de mi cumpleaños número 40, comencé a tener problemas con mi peso. Cuando mi séptimo hijo nació, y después del octavo (a quien tristemente perdí), fui incapaz de perder el peso que normalmente se pierde después del parto o de una pérdida. Allí fue cuando mi hermano y mi hermana comenzaron a insistir que tenía que aceptar la maldición que nuestra familia tiene en cuanto al metabolismo y el trastorno de la tiroides. Ellos estaban en lo correcto, yo tenía TODOS los síntomas, ¡pero me negaba a aceptarlo!

Un día me pare frente al espejo y *clamé a Dios* para que me hiciera delgada. Me arrepentí de todas las veces que yo no tuve compasión de las mujeres que tenían sobrepeso, y por no darle la gloria a Dios por haber sido capaz de permanecer delgada luego de tener tantos hijos (llegue a pesar más de 200 libras con todos mis embarazos, menos con uno). Por la gracia de Dios, logré ser bastante delgada cada vez cuando el bebé apenas tenía unos pocos meses de nacido. Luego de que me arrepentí de todo lo que el Señor trajo a mi mente, ¡yo le entregué mi peso y mi talla a Él!

La parte más difícil fue no tratar de *ayudar* a Dios para hacerlo. Pensamientos acerca de muchos tipos de dieta, tomar más agua, hacer ejercicio, etc. etc. venían a mi mente. Por tres o cuatro meses fue "tentada" en tratar de ayudar a Dios cuando de repente, ¡las cosas simplemente comenzaron a *suceder*!

Comencé a tener antojos de diferentes comidas, y empecé a sentir que mis pantalones de lona me quedaban más flojos. Yo NUNCA me subí a la pesa otra vez, así que no tenía la tentación de emocionarme con mi pérdida de peso y celebrar comiendo de más. Ni quería sentirme deprimida si ganaba peso. Le dejé mi talla al Señor, para que Él lo hiciera y Él me diera los deseos de mi corazón, que era ser una "talla 10 *holgada*".

Honestamente no le puedo decir como Dios lo hizo. Las cosas cambiaron día a día, pero una cosa es segura, ¡Él estaba en control!

No había preocupación, inquietud, ni trabajo arduo. No había conteo de carbohidratos o calorías. No había hambre o negarme comidas, lo cual usualmente resultaba en una *obsesión* por la comida.

Tan solo cuatro meses después, yo era una talla 10 holgada. Comencé con una talla 16 ajustada, que para mi altura de casi cinco pies con diez no es *tan* malo, ¡pero esa no era yo, ni era ese "el deseo de mi corazón"! ¿Pero sabía usted que Dios AMA darnos por encima y más allá de lo que nosotros alguna vez podemos desear, pensar o pedir? ¡Él lo hace! ¡Yo continué encogiéndome, y llegué a ser una talla seis! ¡Esta es la talla que era cuando acompañé a mi esposo a su reunión de compañeros de secundaria! ¿Acaso no es Dios sumamente bueno?

¿Puedo agregar solo un pequeño epílogo para darle aún más alabanza a mi Amado? Fue en la reunión de compañeros de secundaria de mi exesposo que se encendió una antigua chispa con su novia de la secundaria, con quien se casó dentro del año siguiente a divorciarse de mí. A pesar de que he tenido conversaciones vía correo electrónico, aún no le visto otra vez luego de que se involucrara con mi esposo. ¡La última vez que ella me vio, yo estaba bronceada, hermosa y era una talla 6! ¿Acaso no es el Señor tan bueno como para ser verdad?

¡Le estoy contando esto para que se motive a CONFIAR en que Dios lo hará! *Clame a Él,* y luego dé un paso atrás y deje que Él lo haga. ¡Probablemente esa sea la parte más difícil! No importa el área de su vida con la cual usted está luchando, si usted clama a Dios, le entrega el problema a Él, y se resiste a tratar de ayudarlo (que usualmente tarda alrededor de cuatro meses de tentaciones y de pruebas), ¡Dios lo hará *por* usted y sin esfuerzo! En su lugar, toda, y me refiero a TODA, la alabanza y la gloria será para Él!

Como lo dije antes, este libro y todos mis libros le darán lineamientos, sabiduría y conocimiento, pero será Dios quien hará todos los cambios. ¡¡Entonces, dele la gloria a ÉL!! ¡¡Es todo lo que Él quiere a cambio de bendecirla!!

Sin embargo, espero que se haya percatado desde el principio de mi testimonio acerca de mi pérdida de peso, que el primer paso fue el arrepentimiento. Dios no se movería en esta área de mi vida hasta que yo me arrepintiera primero por mi falta de compasión hacia las mujeres que tenían sobrepeso. En segundo lugar, necesitaba arrepentirme por no haberle dado a Dios la gloria de lo que Él había hecho para mantenerme delgada después de cada uno de mis embarazos.

Cuando le pregunté a Dios "el por qué" hay tantos hogares con caos y con tendencias desordenadas, Dios trajo a mi mente un pasaje de la biblia como la causa principal. No solo se trata de una falta de conocimiento o una falta de humildad (o creer una mentira, como sucedió en mi caso), ¡sino que también está enraizada en un pecado común que está desenfrenado en nuestra sociedad feminista y de "primero yo"!

Ambición egoísta

¿Hay realmente *alguien* que no quisiera tener un hogar limpio y que se manejara sin problemas? Sin embargo, la mayoría de hogares que yo veo no están tan bendecidos. Tal y como lo dije en la dedicatoria, que su casa esté o no esté limpia y ordenada, bien organizada y viento en popa, calmada y tranquila, alegre y llena de gozo, dependerá completamente de **usted.**

Algunas de ustedes han escogido una vida muy ocupada con actividades fuera del hogar. Su casa refleja una vida competitiva, con caos y desorden. La causa principal para muchas de nosotras puede ser encontrada en Santiago 3:16 en donde dice, "Porque donde hay *celos* y *ambición personal*, allí hay **confusión y toda cosa mala**".

Cuando "mi propia agenda" va primero y se convierte en lo principal en mi vida, por encima de los planes de Dios, lo cual me da la responsabilidad de mantener mi hogar limpio y funcionando eficientemente, entonces eso es ambición egoísta. En cualquier momento en el que esto sucede en mi vida (por lo general a causa del egoísmo o autocompasión), mi vida y mi hogar se vuelven desordenados y la maldad corre desenfrenadamente.

Muchas mujeres que trabajan fuera del hogar no tienen un hogar bien administrado, por el contrario ¡generalmente está asqueroso! Pero sorprendentemente, incluso las madres que se quedan en casa pueden tener un hogar que se ve de la misma manera: desordenado, sucio y desorganizado.

También podría ser a causa del pecado no confesado de los celos o la envidia el que mantiene su hogar en constante desorden. De nuevo, el verso dice: "Porque donde hay *celos* y ambición personal, allí hay confusión y toda cosa mala." (Santiago 3:16)

Vemos a alguien que tiene lo que nosotros creemos que debemos tener, en vez de lo que Dios quiere darnos. ¡Esto causa que estemos involucradas en actividades que harán que nuestras vidas, las vidas de nuestros hijos y la vida de nuestra familia se torne demasiado ocupada para poder mantenernos al tanto!

¿Está tratando de vivir al mismo nivel que sus amistades o impresionar a su familia, en vez de tratar simplemente de descansar en el Señor? Si usted es una persona a la que le gusta complacer a los demás, tratando de ganar la aprobación o el elogio de otros, **usted se desgastará.** Conozca quién es usted en Cristo. Conozca Su amor incondicional. Usted no necesita hacer NADA hoy para ganar Su amor, ¡el Señor y Su amor están allí para usted incondicionalmente!

Dios NO es un Dios de *confusión.* Sabemos que Dios no es un Dios de confusión; por lo tanto, Él no quiere que usted viva en confusión o en desorden. La primera carta a los Corintios 14:33 dice, "Porque Dios **NO es un Dios de *confusión,*** sino de paz…"

La cosa más importante que usted puede hacer para ser una "trabajadora en casa" feliz y satisfecha (ya sea que trabaje afuera del hogar, o sea bendecida de poder quedarse en casa) es encontrar la paz en SABER que el Señor está feliz, satisfecho, y enamorado de usted, sin importar que fue lo que usted hizo o no hizo hoy. Encuentre esa paz y descanse en Su amor por usted. Una vez que usted sienta Su amor y Su paz, entonces todo comenzará a acomodarse.

Usted encontrará que su vida comenzará a cambiar. Algunas cosas se irán y serán reemplazadas por otras cosas. Todo comenzará a acomodarse en el orden adecuado, y con ello, la PAZ permanecerá.

Su gozo rebosará sobre su familia. Su contentamiento fortalecerá cada área de su vida y cada una de sus relaciones.

Mientras concluyo este primer capítulo, oro para que antes de que continúe leyendo el resto, usted lea y vuelva a leer este capítulo fundacional. Mientras lo haga …

Sacando el mayor provecho de su

Espacio

Eliminando el desorden

El camino del perezoso
es como un seto de espinos,
mas la senda de los rectos es una calzada.
—Prov. 15:19

Este solía ser el Capítulo 7 algunas revisiones atrás, pero fue trasladado al principio del libro. Dios comenzó a incitarme a que lo trasladara al segundo capítulo cuando vi que muchas mujeres que leyeron el libro *Trabajadoras en casa* comenzaron por eliminar el desorden de sus hogares. Aunque originalmente no fue escrito de esa manera, esta obviamente es la manera de Dios, este es el lugar por el cual Él quiere comenzar en *su* vida también. Tómese el tiempo de leer bien el capítulo, y quizás incluso una segunda y tercera vez, antes de iniciar cualquier tarea. Limpiar el desorden es un principio que usted necesita *aprender.* No es nada más una tarea que emprender.

Yo he estado apasionada por la organización desde hace muchos, muchos años. No obstante, cuando leí mi primer libro acerca de limpiar el desorden de mi hogar, me tomó algunos días para que realmente me hiciera reaccionar. Fui allí cuando todo comenzó a tener sentido. Pensé para mí misma, "¡Por todos estos años realmente he estado organizando y reorganizando el **desorden!**"

El desorden es un estorbo

¿Qué es exactamente el desorden? El desorden es cualquier *cosa* a la que usted se aferra y que *honestamente* ya no utiliza. Pueden ser cosas que usted *piensa* que podría utilizar en el futuro. Sin embargo, las cosas que usted realmente no está utilizando en la actualidad, no son nada más que acaparamiento, lo que conlleva al egoísmo.

El desorden entonces comprende todas aquellas cosas que usted realmente necesita "dejar ir". Son las cosas que la están retrasando en su carrera; son los estorbos que la hacen sentir cansada y agobiada. "Por tanto, puesto que tenemos en derredor nuestro tan gran nube de testigos, despojémonos también de todo **peso** y del pecado que tan fácilmente nos *envuelve*, y corramos con paciencia la carrera que tenemos por delante . . ." (Hebreos 12:1).

Si usted tiene cosas que actualmente no está usando (me refiero a las cosas que son lindas y que tienen cierto valor), entonces al regalarlas (incluso a alguien a quien usted nunca conocerá, como por ejemplo, cuando usted las regala a una tienda de segunda mano), usted estará bendiciendo a alguien que quizás nunca ha tenido lo que *necesita* porque usted no tuvo la capacidad de "dejar ir", simplemente porque **usted** todavía *quería* aquello.

¡No solo estará usted bendiciendo a alguien más, sino que también cosechará los beneficios de tener más espacio en sus gavetas o en su closet! La recompensa más grande es lo increíblemente fácil que será para usted y para su familia mantener su hogar limpio de desorden.

¡Mi familia literalmente (después de limpiar el desorden) se ha quedado con un aproximado de la *mitad* de sus pertenencias, y no extrañamos ninguna cosa! Cada vez que limpiamos el desorden (las últimas dos veces debido a mudanzas), encontramos una libertad que se estableció y se asentó en nuestra familia entera. Y por si eso no fuera suficiente, nuestra casa se mantiene limpia y ordenada hasta que necesitamos limpiar el desorden de nuevo.

Usted podrá estar más que dispuesta a dejar ir, pero por lo general nuestros niños no lo están. Los niños son egoístas por naturaleza. (Más adelante hablaremos acerca de los esposos que tampoco pueden dejar ir.) Incluso cuando sus hijos ya hayan crecido lo suficiente como para continuar usando la ropa o los juguetes, ¡la mayoría de ellos aún quieren conservarlos!

Otra situación que conlleva al desorden es cuando los hermanos grandes van heredando artículos sin usar o ropa que ya no les talla a los más pequeños. Aquí es importante asegurarse que de lo que se trate, vaya a ser usado, jugado o leído por el hermano más pequeño. Todos sus hijos son diferentes, no toda la ropa les luce igual de bien, y no todos los juguetes se disfrutan de la misma manera por los niños.

De la misma manera, en cuanto a heredar ropa, guardar algo por un año está bien, pero más que eso, incluso podría pasar de moda, lo cual otra vez conllevaría al desorden.

Cuando mis bebés estaban viniendo "rápidos y furiosos" (no me refiero a la velocidad de la labor de parto, sino a lo cercano que estaban el uno del otro en años), me regalaron cajas y cajas de ropa de bebé de parte de una señora que había perdido a su esposo. Yo añadí lo que ella me había dado con lo que yo ya estaba guardando. Cuidadosamente puse las cajas y cubetas en almacenamiento, pero para mi horror, cuando estaba embarazada y abrí la caja, estaba mohosa y arruinada completamente.

Me sentí avergonzada porque a pesar de que yo ya había escuchado acerca del principio de "dejar ir" lo que no necesitaba, yo no le había prestado atención. Todo lo que podía pensar era en cuantas madres, tal vez incluso madres solteras, se podrían haber beneficiado de lo que ahora estaba arruinado porque yo decidí acumular lo que no necesitaba. ¡Pero Dios es bueno! Después de que me arrepentí y confesé mis pecados a muchas otras mujeres, cuando el tema surgió, Dios me bendijo con ropa totalmente nueva para mi siguiente bebé cuando "casualmente" entre a una tienda que tenía todo con más del 75 por ciento de descuento!

Las objeciones

Ahora usted (o su esposo) podrán estar pensando, "Bueno, ya sé que pasará si me deshago de todo el desorden, simplemente iré y compraré más cosas para llenar el espacio vacío." Pero yo no lo he hecho, las mujeres que siguieron las recomendaciones de este libro no lo han hecho, y usted tampoco lo hará cuando experimente ser libre del desorden. Además compro una tercera o cuarta parte de lo que antes acostumbraba a comprar. Cuando nos libramos del desorden, fue difícil ver como todas las cosas se tiraban o se regalaban. ¡Yo pensé en cuanto dinero habíamos gastado en todas esas cosas, lo cual me enseñó a comprar de manera sabia y no impulsiva!

Desde el primer episodio de limpiar el desorden, cuando mi familia y yo vamos de compras tenemos en mente si las cosas que compraremos realmente serán utilizadas. Esto aplica también para los regalos que nos compramos los unos a los otros. En lugar de simplemente comprar "algo", nos aseguramos de que sea lo que la otra persona realmente quiere o necesita.

Muchas de las cosas que tiramos o regalamos nos fueron dadas como regalo, muchas de ellas pertenecían a otras personas, quienes nos las regalaron y nos sentíamos demasiado culpables como para deshacernos de ellas, y el resto, o la mayoría, eran cosas que nosotros mismos compramos y que realmente no **necesitábamos** pero queríamos en el momento.

No importa *como* usted o yo hayamos obtenido algo, es tonto conservarlo sin importar que sea, cuando en realidad no le estamos dando uso. Por lo tanto, es muy *bueno* para usted y para mí deshacernos de cualquier cosa que no utilizamos para que podamos bendecir a alguien más **y** para que podamos liberar espacio para mantener nuestros hogares ordenados (y no simplemente llenar el espacio de nuevo).

Desde mi primera experiencia de limpiar el desorden, comencé a evitar muchas tiendas que acostumbraba visitar para "echar un vistazo" solo para comprar "algo." Debido a la limpieza del desorden en mi casa, finalmente había comenzado a comprar *sabiamente.* Ahora cuando tomó la mayoría de cosas para verlas, me pregunto "¿Realmente necesito esto?" y "¿Qué tanto tiempo pasará para que esto pare dentro de una de las bolsas para regalar?"

Solo porque algo sea una "buena compra" no significa que usted deba comprarlo. Sé que es difícil dejar pasar una ganga, pero si realmente no la necesita, usted no va a usarla. Y si usted no la usa, solamente desordenará su hogar, lo cual no vale el precio "de oferta" que usted pagó. Por el contrario, espere y ore por las cosas que usted realmente necesita.

Yo oro acerca de cada necesidad que tengo. No puedo decirle que tan seguido me sucede que al día siguiente, simplemente entro a una tienda y allí está aquello por lo que oré a un precio extraordinario e increíble. Justamente el sábado pasado, mientras buscaba un suéter para que mi hija usara el día siguiente en la iglesia, me percaté de que ella solamente tenía un suéter que le quedaba. Así que oré y al día siguiente, el domingo, yo "casualmente" entré a una tienda en donde me fue posible conseguir cuatro suéteres ¡al precio de uno! ¡Siempre dígale al Señor lo que usted necesita y Él se lo proveerá sobrenaturalmente!

Y finalmente, muchas mujeres sienten que no tienen el tiempo para limpiar el desorden. ¡Sinceramente, usted no tiene el tiempo para no hacerlo! El tiempo que usted tome para limpiar el desorden le hará sentir ¡como que hubiera perdido 50 libras! ¡Su vida se siente liviana y libre! ¡Usted se sentirá como una nueva mujer! ¡Usted estará más contenta y su familia estará más contenta con el cambio!!

Una vez que usted esté en el estado mental correcto (usted podrá necesitar orar y leer este capítulo de nuevo), usted estará lista para empezar.

Las herramientas que usted necesitará para limpiar el desorden

Para limpiar el desorden de su hogar usted necesitará:

1. Cinco cubetas, cajas o contenedores (yo usualmente utilizo los botes para la ropa sucia).
2. Cinco pedazos de papel de libreta (diferentes colores de papel serán mejores).
3. Un marcador negro o un crayón de color oscuro.
4. Tarjetas de 3x5.
5. Bolsas de basura *negras* grandes (cuatro para comenzar).

Cinco rótulos. Estos rótulos le servirán para ordenar lo que tiene en cinco categorías:

1. Tirar.
2. Regalar.
3. Guardar.
4. Almacenar.
5. Regresar a su lugar.

Haga cinco rótulos con su papel y marcador utilizando el listado de arriba. Yo tomo un basurero y lo rotulo con "Tirar". A la par, coloco el bote para la ropa sucia o la caja y le pongo una bolsa de basura negra abierta para darle soporte y la rotulo con "Regalar." A la par de este, coloco otro bote para la ropa sucia o caja y la rotulo con "Guardar". A la par de este, coloco una caja con tapadera y la rotulo "Almacenar". Y finalmente, coloco el último bote para ropa sucia o caja y la rotulo "Regresar a su lugar", (pero no coloco una bolsa de basura negra en ella).

Comience por *vaciar un* closet, o *una* gaveta, o debajo de *una* cama, o *una* repisa. *Comience con algo que usted sepa que puede terminar de forma fácil.* (Si usted elige un closet, comience por abajo.) Tome un artículo y colóquelo en alguno de los cinco contenedores. Su meta es tratar de meter la ***mayoría*** de cosas en "Tirar," luego "Regalar," seguido de "Guardar," "Almacenar" y "Regresar a su lugar."

Decida qué colocará en el espacio de la gaveta, el closet o la repisa que quedará vacío. En otras palabras: ¿Qué es lo que realmente va en ese closet, gaveta o repisa cuyo desorden está limpiando? Así que cuando se encuentre con un artículo que va en ese closet, gaveta o repisa, **colóquelo en "Regresar a su lugar."** ¡Esto debería ser bastante simple!

Solo comience por escoger un artículo y colóquelo adentro del contenedor. Si usted o alguno de sus hijos se encuentra con algo con lo que aún no está segura de qué hacer, deténgase y ore, pídale al Señor sabiduría y discernimiento. Escuche esa *voz tranquila, suave,* y luego responda a Su dirección, cualquiera que sea. Confíe en que si lo coloca en el contenedor equivocado, el Espíritu Santo la incitará a sacarlo y colocarlo en el lugar en el que pertenece. Le prometo que Él lo hará cuando Él vea que está haciendo lo mejor por seguir Su dirección. Sin embargo, asegúrese de que cuando regrese a recuperar algo, no sea porque usted comenzó a "apoyarse en su propio entendimiento" o comenzó a pensar en las razones por las cuales querría quedárselo en lugar de regalarlo o tirarlo.

Una vez que todo en ese closet, gaveta o repisa esté vacío, límpielo o bárralo y coloque **únicamente** lo que pertenece allí: ¡lo que usted tenga en su contenedor de "regresar a su lugar"!

Y no cometa el error de comprar más contenedores de plástico, perchas o cualquier artículo organizativo para mantener ese espacio ordenado. Únicamente cómprelo **después** de que vea que fue lo que le quedó. Usted estará sorprendida de que una vez que ha limpiado el desorden, verá que ya no necesitará más perchas o más contenedores organizativos.

Su meta es sacarlo *todo,* aspirarlo, y/o limpiarlo. Luego colocar únicamente los artículos que corresponden en ese espacio, de regreso en su lugar.

Siga adelante

El paso final es **seguir adelante** con los demás contenedores.

Primero, coloque inmediatamente en el basurero los artículos de "Tirar". Luego, coloque los artículos de "Regalar" en su vehículo para poder llevarlos a la tienda de segunda mano. El contenedor de "Guardar" puede ser llevado a lo largo de su casa, colocando cada artículo en la habitación adecuada. Guarde aquellas cosas que usted o alguien más haya colocado allí por error, o más probablemente, por conveniencia.

Recuerde: usted debe lanzar (tirar) cualquier y toda cosa que esté rota o manchada. Muy frecuentemente guardamos cosas que necesitan ser reparadas pero nunca son reparadas. No le dé tanto valor a la basura, la sobrecargara, así que deje a un lado el estorbo ¡para que pueda correr la carrera de su vida!

Ahora, para aquellas cosas que necesitan ser "Almacenadas", tales como artículos de temporada, recuerdos familiares o prendas de vestir que se usan una vez al año, utilizaremos tarjetas de 3x5 para cada artículo que usted coloque en la caja para almacenar.

Almacénelo

Almacénelo. Los artículos de "Almacenar" serán colocados en algún tipo de contenedor, pero mientras haga esto, ¡escriba *cada* artículo en una tarjeta de 3x5! No importa que sea colocado en cada caja; no necesita tratar de poner "artículos similares" juntos para este método de almacenamiento infalible.

Por supuesto que la mayoría de nosotras tratamos de mantener nuestras cosas de Navidad juntas, pero algunas veces en enero nos percatamos de que algún artículo navideño no fue guardado. Continúe y colóquelo en *cualquier* caja de almacenamiento, porque usted marcará en la tarjeta en dónde está guardado ese artículo. Para la próxima Navidad sus tarjetas le recordarán en donde pueden ser encontrados los artículos perdidos. Para ayudarme aún más, yo pongo una calcomanía de Navidad en la tarjeta de 3x5 para recordarme a mí misma que hay algunos artículos perdidos guardados en un lugar diferente. ¡Luego usted puede retirarlos de una caja y guardarlos en la caja original al finalizar la Navidad! Simple.

El tipo de contenedor no importa mientras tenga una tapadera para que no le entre el polvo. Usted puede utilizar cualquier tipo de caja de cartón o contenedor plástico. Si usted va a salir y va a comprar un contenedor, los transparentes son los mejores ya que usted puede ver a través de ellos, haciendo más simple que ubique algo de lo que está guardado en ellos. Pero nuevamente, con este método usted puede utilizar cualquier caja que usted tenga o encuentre, sin importar el tamaño o forma.

Tarjetas de 3x5 para almacenamiento. Numere cada tarjeta de 3x5 en la esquina *superior* **izquierda** y numere la caja correspondiente en diferentes lados, por ejemplo, "N-1" para su primera caja de Navidad, "M-1" para su primera caja de ropa de maternidad, etc. Para almacenamiento misceláneo yo escribo "S-1", y para el viejo plan de estudios de educación en el hogar que no estaré utilizando ese año, lo rotulo "PE-1".

A continuación, escriba donde lo guardará en la esquina *superior* **derecha**—por ejemplo, lado oeste del garaje, ático encima de la sala, o debajo de mi cama. Esto le ayudará a usted, a su esposo o a su hijo a encontrar la caja de forma más fácil.

Si su caja es de una videograbadora o de un carruaje, indíquelo en la tarjeta debajo de donde está ubicado para hacer que sea muy fácil encontrarlo. El punto más importante de este principio de guardar artículos es ***anotar* CADA *artículo que usted coloca en la caja.***

Si es posible, antes de colocar más artículos en sus áreas de almacenamiento (especialmente si está almacenando debajo de una cama o en un closet), sería prudente que abra las cajas almacenadas previamente (almacenadas antes de este sistema), y haga una tarjeta de 3x5 para cada caja. Y mientras hace la tarjeta de 3x5 no pierda la oportunidad de tirar o regalar cualquier cosa que usted ya no necesite.

Advertencia: ¡Manténgase alejada de las cajas de Navidad o de ropa de bebé por el momento! Espere hasta Navidad para hacer una "buena limpieza" de sus cosas. Yo reduje mis adornos navideños a más o menos la mitad, justo después de que me sentí motivada a escribir esta parte actualizada del libro. ¡Alabado sea el Señor! Este año revisaré nuevamente nuestras cajas navideñas. Durante los últimos dos años, ninguno sentimos la necesidad de deshacernos de nada excepto del árbol y una guirnalda de la puerta (mantuvimos nuestro montaje navideño ya que yo quería que recordáramos el nacimiento de nuestro Salvador durante todo el año). Por lo tanto, es hora de limpiar el desorden y bendecir a otros con los artículos que nosotros ya no necesitamos.

Finalmente, si usted alguna vez cambia una caja de lugar o saca algún artículo, modifique su tarjeta. Sus tarjetas deberán mantenerse actualizadas sacándolas cada vez que usted saca una caja. Las tarjetas de "almacenamiento" deberán mantenerse en el *reverso* de su archivo de tarjetas de 3x5 con un divisor por sección que usted rotule ALMACENAMIENTO. Yo he tenido este método por AÑOS. Tal y como todo lo demás, es algo que usted aprende y practica hasta que el modo en el que lo hace se convierte en un hábito. No solo tendrá orden y paz en su hogar, con más espacio en sus closets y gavetas para cosas que usted realmente usa, ¡sino que además le estará enseñando a sus hijas cómo ser cuidadoras de su hogar!

Más acerca del método de limpiar el desorden

Este es el método para limpiar cualquier y todo desorden.

Una vez que haga sus hojas de clasificación, ¡guárdelas hasta que su casa completa esté limpia del desorden y sea fácil mantenerla de esa manera! Yo comencé a guardar las mías en el reverso de mis listas del supermercado y en mi tablero planificador de comidas para poder utilizarlas una y otra vez.

Este método trae tanta libertad que cuando siento que necesito un estimulante, ¡solo voy a una alacena, una gaveta o closet y comienzo a limpiar el desorden! Honestamente, nunca falla, una vez que el closet, gaveta o repisa ha sido limpiada le dará un sentimiento tan satisfactorio. ¡Una vez que se encuentre enganchada, usted se verá yendo a otro closet, gaveta o repisa en cualquier momento en que tenga tiempo!

¿Debería "Regalarlo" a alguien especial o a alguna beneficencia?

Si el Señor le trae a la mente a alguien cuando esté clasificando, entonces póngalo en una bolsa rotulada con su nombre en ella. Si no, entonces solo regálelo a los pobres. Dios realmente comenzó a derramar Sus bendiciones sobre nuestra familia cuando dejé de intentar ganar un "dólar" al llevar los artículos a una tienda por consignación o al tener una venta de garaje. Cuando sencillamente bendije a los pobres con las cosas que no utilizaba o no tenía espacio para tener, ¡Dios me bendijo con cosas que necesitaba y quería a precios INCREÍBLES!

Reglas. Nunca regrese a revisar una bolsa. Regale o tire sus bolsas tan pronto como haya terminado. Coloque los artículos de "Tirar" junto con la basura inmediatamente. Coloque la bolsa de "Regalar" adentro de su carro junto con una nota en el asiento del piloto que diga manejar a la tienda de segunda mano más cercana. Una vez que usted, sus hijos o su esposo comiencen a SACAR lo que hay en ellas, hará que su arduo trabajo sea en vano. Es por esto que recomiendo las bolsas NEGRAS, porque las blancas siempre permiten dar un *vistazo* a algo que puede ser de interés, lo que inevitablemente hará que la persona le quiera dar otra revisada.

En cuanto al tema de los esposos y limpiar el desorden: este puede ser un tema quisquilloso. Afortunadamente la situación que se daba con mi exesposo era que yo quería "dejar ir" las cosas y mi exesposo necesitaba quedarse con ellas. ¡Así que me convertí en una autoridad instantánea respecto a que *no* hacer! Mi primer error (aunque ha habido muchos más) fue cuando intenté *ayudarlo* a limpiar su billetera, muchos, muchos, muchos años atrás. Cuando apenas llevábamos menos de un año de casados pensé que debía rescatarlo, ¡ya que su billetera estaba tan gruesa que parecía un cubo! ¿Cuál fue el resultado de ayudarlo? Por casi 15 años (hasta que empezó a perder un poco su memoria), si *alguna vez* se le perdía *algo*, ¡él estaba seguro que era algo **de lo que yo había tirado** de su billetera! Error. No clasifique las cosas de su esposo: ni su billetera, gaveta de "basura", o escritorio. Puede clasificarla, pero nunca tire nada sin que antes él lo haya visto. Y si él dice "no", entonces coloque las cosas en una caja y guárdelas (solo asegúrese de utilizar el método de las tarjetas de 3x5 para que pueda encontrar cualquier cosa que le pertenezca a él en un instante).

Los organizadores profesionales tienen un método que utilizan para aquellas cosas con las que las personas tienen dificultad para despedirse. Las colocan en una caja y después, si usted no ha tenido la necesidad de usarlas (la mayoría de las personas no tienen ni idea de qué hay en las cajas), tiran la caja completa. Inclusive si usted la sacara un año después, cuando usted regrese a revisarla le será mucho más fácil deshacerse de las cosas que no ha visto o en las cuales no ha pensado por alrededor de un año.

Personalmente, yo no utilizo ese método porque cuando lo probé y el año había transcurrido, él ya no quería desperdiciar su tiempo para revisar sus cosas viejas; su esposo puede ser igual. Así que en su lugar, esperé hasta que nos mudáramos, cuando él sabía que tendría que cargar cada una de esas cajas, meterlas en un camión y desempacarlas en nuestra nueva casa. Él instantáneamente se sintió muy motivado para deshacerse de las cosas que ya no necesitaba ¡y yo no tuve que decir absolutamente nada! ¿No es Dios sumamente bueno?

¿Significa eso que ya no teníamos cajas con sus cosas en la nueva casa? No, mi exesposo tenía muchas cajas llenas con sus cosas que probablemente aún estén arriba en nuestro ático, pero yo no dejo que eso me moleste. Yo escogí respetar su posición como cabeza de nuestro hogar cuando él aún estaba acá. Yo escogí enseñarles a mis hijos a respetar a su padre a través de *mis* acciones y actitud, ¡lo que se tradujo en que ellos me respeten a mí! Si yo hubiera hecho de menos su autoridad, también hubiera estado haciendo de menos la mía.

Ahora, para las cosas que no son directamente los artículos personales de su esposo: algunos hombres quieren una ayuda con todas las cuestiones relacionadas al hogar, mientras algunos no quieren ser molestados. Pero una cosa es cierta, con cualquiera con lo que usted haya sido *bendecida*, ¡usted deseará tener la otra! Mi exesposo era un hombre que quería tener el control de todo y cada cosa. Yo siempre "desee" que algún día me lo dejara a mí. Ese día llegó cuando él me abandonó por su novia de la secundaria. En lugar de estar lastimada, avergonzada o sentir cualquier otro sentimiento que muchas mujeres sienten, yo escogí ver cada bendición ya que el Señor nos promete que "todo obra para bien cuando lo amamos a Él y queremos saber Su propósito en ello". Ser capaz de tirar y regalar cosas que no necesitamos sin el miedo de tener un esposo que se enojará por ello, es una bendición. Y cuando me encuentro con cajas con las cosas de mi exesposo, las pongo a un lado para que él se las lleve durante su próxima visita para ver a los niños. ¿No es el Señor demasiado maravilloso como para describirlo con palabras?

Ahora mientras usted y yo estábamos siendo retadas con un esposo que quería controlarlo todo, tenemos amigas que se quejan y nos dicen cómo sus esposos son tan desinteresados con todo y cuanto tenga que ver con las cosas del hogar (y algunas veces los niños) y responden con un ¡"haz lo que quieras"! ¿Por qué es eso?

¡Es porque Dios nos da a todos exactamente lo que necesitamos! Para mí que nací con un espíritu independiente, yo siempre quise tomar mis propias decisiones. Yo siempre quise buscar a Dios y moverme en Su dirección sin obstáculos, ¡pero los obstáculos son los que nos mantienen fuertes! Cuando hay un obstáculo en mi vida, yo debo orar por sabiduría y paciencia, ya que por lo general debo esperar, lo cual me fortalece espiritualmente.

En el caso de otras mujeres que son sumisas e indecisas, o quizás simplemente necesitan seguridad, sus esposos les dicen que hagan lo que ellas quieran, lo cual las obliga a buscar a Dios para obtener fortaleza, audacia y seguridad.

Todos necesitamos a Dios, ¡así que Él nos da diferentes maneras que nos compelen a buscarlo *continuamente!* ¿No es bueno Dios?

Ahora que estoy en el proceso de humillarme a mí misma, lo cual siempre es bueno para ganar espiritualmente, algunos de mis problemas eran que yo acudía a mi exesposo (cuando estábamos casados) cuando yo debía acudir únicamente a Dios. Algunos esposos que "parecen" controladores simplemente son de esa manera porque nosotros hemos acudido a ellos cuando en realidad debimos acudir al Señor. Cuando inicialmente aprendí acerca de la sumisión, ¡yo acudía a mi esposo para todo! Pronto me comencé a sentir "oprimida" cuando el Señor abrió mis ojos para poder ver que en realidad era mi propia culpa. Para el colmo, yo fui criada por una madre que prosperaba, al parecer, en rebelión y con secretos con mi padre.

Usualmente, cuando las cosas se encuentran fuera de balance en nuestra juventud, en los hogares en los cuales crecemos, tendemos a irnos al otro extremo, que fue lo que yo hice. Ciertamente, no seguir este patrón de mantener a escondidas las cosas de mi esposo fue algo muy bueno. Sin embargo, un extremo puede ser igual de dañino que el otro. ¿Cómo sabe cuándo preguntarle a su esposo y cuando proceder de acuerdo a lo que el Señor le está guiando a hacer? Ore. Ore y pídale a Dios que le dé discernimiento. Si él le indica que le pregunte a su esposo, entonces vaya y pregúntele. Si su esposo detiene su plan, entonces confíe en que Dios abrirá la puerta si eso es lo que realmente se supone que usted haga; incluso cuando se trata de limpiar el desorden (con qué quedarse y qué tirar).

Si usted es del tipo tímida, que requiere de seguridad, y su esposo se ha quejado de que usted es muy necesitada, entonces busque a Dios y deje de ir a su esposo. Si Él le dice que haga algo, entonces siga adelante con la seguridad de Dios.

Para la mujer casada, su meta es ser capaz de vivir este verso de Proverbios 31:11: "**En ella confía el corazón de su marido**, y no carecerá de ganancias".

¿Y de qué manera se logra cuando está tan fuera de control ahora? Con el siguiente verso: "Ella le trae bien y no mal todos los días de su vida" (Prov. 31:12). Hacer lo correcto, en cuanto respecta a su esposo, comienza por respetar y no retar su autoridad, e incluye no hablar acerca de él de forma negativa con sus amistades o familia (no revelar sus debilidades en ningún área de su vida). Cuando usted comienza a ser la esposa en la que él "confíe con seguridad" (eso es de la VKJ), entonces eventualmente él le permitirá tomar las decisiones sin su permiso. En mi caso, el Señor simplemente removió a mi esposo de mi vida para que yo lo pudiera tener a Él como mi autoridad. ¡Todos esos años aprendiendo sumisión a mi esposo terrenal me han hecho mucho mejor esposa para mi Esposo Celestial!

De forma graciosa, cuando originalmente revise este capítulo, yo quería hacerlo sin tener que revelar mis otras faltas, pero el Señor tenía otros planes. Otra de mis faltas, la cual mantuvo mi matrimonio fuera de balance por años, fue que yo iba a mi esposo a contarle mi plan para obtener de él un halago o una palmadita en la espalda de forma verbal. Yo crecí con dos padres, que sin vergüenza alguna, ¡creían que yo era maravillosa y me lo decían casi a diario! Esto era algo bueno, pero otra vez, si se encuentra fuera de balance, lo cual creo que fue así, causa problemas. El resultado fue que en vez de obtener halagos, que era lo que yo obtenía de mis padres, mi exesposo encontraba alguna falla o error en ello.

Esto también pasaba cuando yo llegaba a mi exesposo a "compartirle una idea". Querida hermana, ¡nuestras amigas fueron creadas para ese propósito! A ellas les encanta escuchar todos y cada uno de los detalles, pero cuando usted comparte sus ideas, simplemente "quiere conversar" o necesita "compartir una idea" acerca de alguien, para la mayoría de los hombres, no sucederá. Un hombre solo pensará que usted quiere que él le diga qué hacer, no simplemente escucharla.

Me tomó mucho tiempo aprender esto, pero un día el Señor cómicamente removió de mi vida a mis amigos más cercanos, y después a mi esposo—y me quedé solamente con Él. ¡Wow! ¡Qué diferencia! No solo el Señor ama escuchar cada detalle, sino que además es honesto cuando no es para nada una buena idea. Y cuando Él me condena o me muestra que no es un buen plan, Él es tan tierno y compasivo.

Si usted tiene el mismo problema de necesitar aprobación o aceptación, hable con Dios y pídale a Él que la ayude. No hay mayor escenario para heridas profundas. El enemigo realmente tiene una atadura en su vida. Las personas son la mejor herramienta que el diablo tiene para manipularla y lastimarla. Busque a Dios para que llene su necesidad de ser amada, aceptada y honrada. Su espíritu la llenará. No importa cuántas personas tenga usted halagándola, usted se sentirá vacía. Simplemente mire las vidas de los famosos para que se dé cuenta que los halagos de otros nunca llenarán ese vacío en su vida. Solo Dios puede llenarlo, así que siempre corra a Él.

Ahora, de regreso a nuestro capítulo. . .

Este método de limpiar el desorden y deshacerse de cosas (que usted no necesita o no usa de forma regular) debería hacerse en todo su hogar mientras se va moviendo a través de su casa, una gaveta en una habitación, una cada vez. Comience con una habitación designada, y luego continúe moviéndose alrededor de toda la casa. Solo utilice de unos pocos minutos a una hora al día y pronto a usted le quedará únicamente lo que necesita y usa regularmente.

Mantenimiento. Una vez que tenga la casa completa: closets, repisas, y gavetas limpias (incluso el garaje), usted puede mantenerla con el método de "barrida limpia" a diario. La barrida limpia es el emocionante capítulo que sigue y que le cambiará la vida. Pero antes de que se apresure, recuerde, este libro es un libro de acción.

Leerlo no le cambiará la vida; usted necesitará tomar acción. Así que tómese los siguientes días o semanas para limpiar el desorden de su hogar antes de continuar leyendo el libro. Este método no solo limpiará el desorden de su hogar, ¡sino que además limpiará el desorden de su mente, de su espíritu y de su vida!

———————— Capítulo 3 ————————

Sacando el mayor provecho de sus

Pasos

¡Limpie su "sucia casa" en minutos!

Barreré completamente la casa . . .
— 1 Reyes 14:10

Le garantizo que este método le ahorrará mucho tiempo y la estimulará tanto que usted nunca querrá regresar a la manera en la que acostumbraba limpiar su casa. Muy frecuentemente sentimos que estamos recogiendo cosas a lo largo de todo el día y aún no avanzamos. Aunque aún limpio cuando entro a una habitación, yo ya no desperdicio mi tiempo o mi energía en ir de un lado a otro para recoger las cosas o limpiar mi casa y ¡he usado este método por años!

Los pasos ahorradores de la "barrida limpia"

Este método es tan bueno que puede ser usado incluso cuando usted está acostada en su sofá con náuseas matutinas, usando a sus niñitos y a los jóvenes para ayudarle a recoger justo antes de que "Papá llegue a casa." Yo sé por experiencia, ¡lo he hecho cientos de veces! Así que si este método funciona usando a los niñitos y a una mamá con náuseas matutinas (que se arrastra de una habitación a otra y se recuesta en cualquier cama o sofá disponible en la habitación, o muy frecuentemente en el piso), entonces usted sabe que el método de la "Barrida Limpia" ¡funcionará para usted también! Aquí está mi método infalible que es simple y aun así funciona:

Para comenzar

Usted necesitará: de una a varias canastas para ropa para recoger las cosas alrededor de la casa (entre más desorden, necesitará más contenedores), una bolsa de basura para la basura y una bolsa grande de papel color café (o canastas pequeñas), una para cada habitación de su casa que esté clasificando.

Con un marcador negro, rotule la bolsa o la canasta para clasificar con los nombres de las habitaciones (por ejemplo "Habitación principal, cuarto de lavandería, cocina, habitación de Tyler, etc."). Guárdelas al final para que las pueda utilizar una y otra vez.

Barrida limpia

Recolecte. Ahora utilice sus canastas para ropa, y recoja en cada habitación todo aquello **que no pertenece** a la misma. Comience en una habitación y sistemáticamente vaya trasladándose por toda la casa. El mejor lugar para comenzar es la puerta de enfrente (o la puerta trasera si su esposo entra por esa puerta). Coloque cualquier cosa que encuentre cerca de la puerta adentro de la canasta, periódicos viejos en la bolsa de basura y cualquier juguete en la canasta.

Limpie. Una vez que haya recogido todas las cosas (todo aquello que no pertenezca a esa habitación) y lo haya colocado en la canasta o en la basura, recoja o acomode las almohadas, limpie las mesas, tienda las camas que estén deshechas en cada habitación, y después barra o aspire la habitación (por cierto, a los niños *pequeños* les encanta aspirar). Su primera habitación ahora está limpia, ¡así que está lista para continuar con la siguiente habitación!

Utilice este mismo método mientras se traslada de habitación a habitación. Para mí, es mucho más fácil comenzar en mi habitación y después moverme a través de la casa de la misma manera. Lo que sea que funcione para usted, hágalo. Si usted busca al Señor, Él la guiará a hacer lo que resultará mejor para usted y su familia.

Reglas. Asegúrese de NUNCA poner nada líquido o húmedo en la canasta. Asegúrese de NUNCA poner la billetera de papá, chequera o cualquier artículo importante en la canasta. En lugar de ello, mande a uno de los niños (o vaya usted) a colocarlo en *su* cómoda o en *su* escritorio.

Confesión: Años atrás cuando aún estaba casada, durante una barrida limpia de emergencia (ver abajo), yo coloque algunos de los artículos importantes de mi esposo en la canasta. Porque era una emergencia, no tuvimos tiempo para clasificar la canasta tampoco. DÍAS después (yo había escondido la canasta en nuestro cuarto de lavandería), cuando él estaba corriendo para salir de casa, mi esposo preguntó si había visto su chequera. Yo hice una "oración urgente" y Dios trajo a mi memoria la canasta sin clasificar. Corrí a buscarla, metí mi mano al fondo entre todas las "cosas", y saque la chequera pérdida. ¡Dios es tan bueno! ¿Amén?

Creo que no necesito darle un ejemplo de cuando algo húmedo o líquido fue colocado adentro de la canasta. Incluso una "gota" de una taza de café sin terminar puede provocar que usted tenga un gran desastre en sus manos (ver abajo para un *Consejo* acerca de las tazas de café para llevar).

Asegúrese de que usted y sus niños tengan completamente claras las "reglas" *antes* de comenzar con este maravilloso método. Como cualquier cosa, puede ser una bendición o una maldición, dependiendo de su obediencia en seguir las reglas.

Consejo: Esto es de cuando vivíamos a un poco más de una hora de nuestra iglesia, y algunos de nosotros llevábamos café "para el camino". Luego de que experimenté el desastre que "tan solo una gota" podía causar, yo desarrollé este método que les enseño a todos mis bebedores de café. Una vez que ha terminado su café (o usted lo ha tirado), entonces coloque al fondo de la taza una servilleta y colóquele nuevamente la tapadera. Esto absorberá "la última gota" y eliminara cualquier posibilidad de un desastre.

Ordene. Una vez que usted ha recogido todo en cada habitación y ha limpiado y arreglado lo que resta de ella, lleve todas las canastas a un mismo lugar.

Ahora ordene las "cosas" que ha recogido de acuerdo a cada una de sus habitaciones: cada habitación, cada baño, la cocina, la sala, el cuarto de lavandería, etc. Cuando usted tenga los artículos ordenados, tome la bolsa o la canasta pequeña de regreso a cada habitación (que ya está limpia) y ¡coloque los artículos en su lugar!

Si usted tiene la ayuda de niños pequeños, usted no querrá que ellos coloquen los artículos en su lugar (ya que puede que usted no encuentre los artículos de nuevo). En su lugar, simplemente pídales que lleven la bolsa o la canasta adentro de la habitación hasta que usted pueda llegar a ella (caminando o arrastrándose si está sufriendo de náuseas matutinas).

Más información acerca de la barrida limpia

¡Desviada! No se desvíe al intentar limpiar el desorden de una gaveta o un closet (lo que ya aprendió en el Capítulo 2). Si usted aún no ha limpiado el desorden en su casa, yo le recomendaría de sobremanera que aparte un tiempo específico cada día para hacerlo (esto hará que mantener todo limpio y ordenado sea muy fácil de lograr). Entonces, para mantener esas "áreas no vistas" regularmente, tengo un método infalible en el Capítulo 7, "El Método" para asignarlas como una de sus tarjetas semanales o mensuales.

Una vez más, no se desvíe. En su lugar, concéntrese en terminar lo que usted ya comenzó, "la barrida limpia de su casa completa!"

Manejando Emergencias. Si una emergencia surge (como que su esposo llegue a casa antes de tiempo o visitas inesperadas lleguen), utilice la "Barrida Limpia," pero espere a que las cosas se hayan calmado o las visitas se hayan ido para ordenar las canastas. Solo no espere más tempo, ¡ya que puede que usted (o su esposo) no encuentren la chequera o algo más que necesiten debido a que está al fondo de la canasta escondida en el closet! ¡Una vez más, yo lo sé porque me ha ocurrido demasiadas veces!

Horarios y rutinas. Asimismo, hágase (y a sus niños) un tipo de horario o rutina para hacer la "Barrida Limpia." Si usted está casada, utilice el horario de su esposo como punto de partida. (Hablaremos acerca de las rutinas a mayor profundidad en el capítulo siguiente.) Pero en el caso de que esté trabajando metódicamente a través de este libro, comenzar un horario es simplemente trabajar en su vida: horas para despertarse, horas para acostarse, horas de comidas, horas de estudios, y horas de limpieza. Incluso los bebés son fáciles de cuidar cuando usted los ha motivado a comer y dormir a horas regulares. (Aunque yo no promuevo los horarios rigurosos del libro *Bebe Sabio*, sí creo en el orden y en las rutinas para los niños. Mire la lección "Las Enseñanzas de su Madre" en el libro *Una Mujer Sabia* para mayor información acerca de las razones).

Continúe moviéndose. Alguna vez escuche a Elisabeth Elliot decirles a sus oyentes que simplemente "hicieran la siguiente cosa," ya fuera lavar los trastos o tender la cama. Recuerde, "Ella vigila la marcha de su casa, y no come el pan de la ociosidad" (Prov. 31:27). Si el teléfono suena o alguna interrupción ocurre, pare y ocúpese de ella, pero luego vuelva a hacer "la siguiente cosa." Si usted es del tipo de persona que simplemente no puede dejar el teléfono una vez que la llaman, no lo conteste, y utilice su correo de voz a su ventaja para devolver las llamadas cuando sea conveniente para usted (a menos que sea su esposo quien llama). Hablar por teléfono siempre ha sido una debilidad mía. Por lo tanto, yo NUNCA contesto nuestro teléfono de la casa y únicamente contesto mi teléfono celular cuando quien llama es uno de mis hijos o alguien a quien yo sé que debería contestarle en ese momento. De lo contrario, yo espero y devuelvo las llamadas cuando estoy disponible, no a cualquier hora a la que me llamen.

Como lograr hacer más

Nuestro mayor problema en lograr llevar a cabo muchas cosas está plasmado en los siguientes tres versos:

"Es alborotadora y rebelde, sus pies no permanecen en casa; está ya en las calles, ya en las plazas, y acecha por todas las esquinas" (Prov. 7:11-12).

"No frecuente tu pie la casa de tu vecino, no sea que él se hastíe de ti y te aborrezca" (Prov. 25:17).

"No pondré cosa indigna delante de mis ojos…" (Salmos 101:3).

1. ¡Permanezca más en casa! *"Es alborotadora y rebelde, sus pies no permanecen en casa; está ya en las calles, ya en las plazas, y acecha por todas las esquinas" (Prov. 7:11-12).* Yo sé que si soy incapaz de "mantener" mi hogar, se debe generalmente a que yo he estado "mucho tiempo fuera". Yo necesito ver mis prioridades y mantenerme en el hogar para traer paz y estabilidad a mi familia. Si usted tiene mandados que hacer, trate de hacerlos todos en un mismo día de la semana que usted aparte para ese propósito, en la medida de lo posible.

Tan pronto como mi hija mayor comenzó a manejar, yo comencé a asignarle muchos mandados que yo acostumbraba hacer. Fue bueno para ella aprender cómo hacer las compras del supermercado y cómo devolver cosas. Incluso hacer una lista de a dónde debía ir ella el día de los mandados es una experiencia valiosa de aprendizaje (lo cual explicaremos en un capítulo más adelante).

Actualmente, yo solo espero hasta tener una cita o tener que salir y entonces hago lo más que puedo mientras estoy fuera. Esto me mantiene en el hogar, que es el lugar donde encuentro la mayor paz y donde creo estabilidad para mis hijos.

2. Deje de hablar con amigas o familiares por teléfono. *"No frecuente tu pie la casa de tu vecino, no sea que él se hastíe de ti y te aborrezca" (Prov. 25:17).* Ya sea que vaya de visita o llame a una amiga (o familiar) por teléfono, si usted lo hace muy frecuentemente, usted y su amiga eventualmente se convertirán en una molestia la una para la otra. Aparte un tiempo para reunirse de forma regular, en lugar de estar "en casa físicamente" pero constantemente "afuera para almorzar" en su mente y concentración, mientras chismorrea por teléfono.

Usted estaría sorprendida de que la mayor parte de la aflicción en su vida y en su hogar es causada por cuan a menudo usted descuida su hogar y a sus hijos a través de llamadas telefónicas y otras interrupciones. Yo dejé de contestar llamadas durante las horas de educación en casa, porque inevitablemente me causaban perder el control sobre los niños. Si ellos "simplemente continuaban trabajando" tal y como yo se los pedía, ellos hacían algo mal que luego tenía que hacerse de nuevo. Usted siempre puede devolver las llamadas a las personas que le llaman a una hora más conveniente para usted y para su familia. Como lo dije antes, utilice el buzón de voz a su ventaja, o pídale a uno de sus hijos mayores que filtre sus llamadas telefónicas. ¡Todos estarán más contentos con ello!

Ya sea que usted sea quien llama o bien la persona a quien llaman, el teléfono (y ahora el teléfono celular) puede ser una tremenda maldición en un hogar bien dirigido o para una existencia pacífica.

3. ¡Apáguelo! *"No pondré cosa indigna (ejemplo perfecto: ¡su set de televisión!) delante de mis ojos..." (Salmos 101:3).* Para mí, no hay nada con más indigno que la TV. Nosotros acostumbrábamos tener una televisión que mi esposo conectaba en algunas ocasiones para ver deportes (¡que yo hubiera amado tirar a la basura!) Y teníamos una que estaba conectada a la videocasetera que era buena para videos educacionales, espirituales o para una "noche en familia" (cuando mirábamos una buena película clásica en blanco y negro, comíamos pizza y postre los viernes).

¡Estos eran los "buenos viejos tiempos!" Dios me puso a través de otro refinamiento y experiencia de "morir a mí misma" cuando nos mudamos de nuestra granja a la ciudad. Tuve que aprender un nuevo nivel de sumisión; esta vez, con un corazón más dispuesto y dar una respuesta "alegre" ¡cuando mi esposo (cuando aún estaba casada) anunció que compraríamos una "televisión satelital" (¡conectar nuestro set de televisión al mundo entero!), una enorme televisión de pantalla plasma (pantalla plana), junto con otra televisión muy grande para nuestra sala!!

Si usted está tratando de presionar a su esposo para que retire la televisión, pare y ore; ¡evite la contienda y confíe en Dios! (Vea "Ganado sin una Palabra" en *Una Mujer Sabia.)*

Solo para que lo sepan, yo solía pensar tontamente que de algún modo o de alguna manera, tenía que asegurarme de que mi esposo supiera y entendiera mis preocupaciones y mi disgusto con las cosas que yo consideraba mundanas o malas. Estaba equivocada. Me di cuenta que había basado mi decisión en el miedo (nunca base nada en el miedo) de que si no le decía nada de que no aprobaba tener una televisión (o cualquier otro mal) que yo terminaría como Ananías y Safira (vea Hechos 5:1-11).

En el pasado, yo estaba igualmente equivocada cuando me aseguraba de decirle a mi esposo de mi disgusto con las cosas que él hacía, no por el miedo, sino por mi orgullo y arrogancia espiritual. Yo creía que mi esposo tenía que ser enseñado, por mí, las cosas que estaban bien y las que estaban mal. Este tipo de "cuidados maternales" hacia su esposo terminará en que él se desconecte totalmente de usted y no le pregunte su opinión acerca de *nada*. Pero fiel al tipo, una mujer como yo o no se da cuenta de esto o no le importa. Nosotros creemos que es *nuestra responsabilidad* guiar a nuestra familia si "él no lo hace." Querida lectora, no hay mejor forma de alejar a su esposo de las cosas de Dios y de que haga lo correcto que usurpar su posición y su autoridad. (¡Para obtener mayor información, obtenga y lea *Una Mujer Sabia* porque usted está destruyendo su propia casa!)

Esta vez, el Señor me motivó a crecer; Él me enseñó que ÉL conocía mi corazón. Él sabía que yo no quería tener una televisión otra vez después de no haberla tenido por más de doce años. Dios siempre conoció mi corazón cuando me enfrentaba con algo con lo que me preocupaba y me tenía sin entusiasmo. ¡Yo no tenía que asegurarme que mi esposo lo supiera! Mi trabajo, como una ayuda idónea respetuosa, era sonreír y ESTAR DE ACUERDO. Después yo debía llevarle mis preocupaciones al Señor para que Él pudiera lidiar con ellas, de ser necesario. La farisea con su justicia propia constantemente quiere regresar, así que siempre debo tener cuidado de no juzgar lo que mi esposo (ahora exesposo) era o está haciendo o no haciendo.

¡En la última revisión editada de trabajadoras en casa yo compartí que probablemente era **yo** la que necesitaba relajarse! Pero que si era mi esposo el que necesitaba darse cuenta del peligro de algo que estuviera viniendo o pasando en nuestro hogar, entonces yo podía confiar en que Dios lo traería a colación mientras yo permanecía con gozo, en vez de estar estresada o preocupada.

Señoras, dénselo todo a Dios para que lo resuelva. Recuerden, "¡Su yugo es fácil y Su carga es ligera!"

La razón por la cual el Señor permitió que esto y otras cosas regresaran a nuestro hogar, y regresaran a la vida de mi esposo, fue porque mi esposo (ahora exesposo) no compartía mis convicciones en lo absoluto. Esto significaba que mis hijos (aunque yo nunca lo exprese) estaban viviendo en un hogar donde existía doble ánimo. Dios remedió esta situación entregando a mi esposo a la búsqueda de sus deseos (que eran las cosas de este mundo), lo cual lo llevó a marcharse y casarse con otra mujer.

Aunque para algunas esto parezca trágico, la verdad es que Dios ha bendecido a nuestra familia. Ahora la cabeza de nuestra familia es el Señor, quien es mi Esposo (Isa. 54:4-6) y el Padre de mis hijos (Salmos 146:9). Al permitir que la maldad incrementara, en lugar de lo que yo acostumbraba hacer interponiéndome en el camino con mis opiniones de disgusto, ¡mis hijos ahora están creciendo espiritualmente a grandes pasos!

"El hombre torpe no tiene conocimiento, y el necio no entiende esto: que cuando los impíos brotaron como la hierba y florecieron todos los que hacían iniquidad, sólo fue para ser destruidos para siempre. Mas tú, oh Señor, excelso eres eternamente" (Salmos 92:6-8).

"¡Cuán bienaventurado es el hombre que no anda en el consejo de los impíos, ni se detiene en el camino de los pecadores..." (Salmos 1:1).

Aunque el divorcio nunca sería mi elección, fue la voluntad de Dios que yo pudiera ser una motivación para las mujeres alrededor del mundo para buscar al Señor como el Esposo con el cual todas soñamos. Y usted no tiene que estar divorciada para tomarlo a Él como su esposo. (Por favor lea *La Vida Abundante* para mayor información acerca de cómo encontrar el gozo verdadero y duradero)

La barrida limpia de la *mañana* o la *noche*

La "barrida limpia" es una herramienta maravillosa para tener su hogar listo antes de que su esposo llegue a casa o simplemente para mantener un hogar limpio del cual disfrutar al final del día ya sea que esté o no esté casada. Si usted está casada o esperando compañía, tómese unos pocos minutos para hacer la "barrida limpia" en su hogar, empezando por la puerta del frente o de atrás y limpiando hacia la habitación principal o la cocina, cualquier dirección hacia la cual tomará su esposo o sus invitados.

Si su esposo tiene un trabajo que no tiene horarios fijos para que usted pueda saber siempre a qué hora llegará él, pregúntele, si él puede, darle una llamada rápida una hora, media hora o hasta quince minutos antes para que usted esté lista cuando él llegue.

Previo a instruir a mis hijos para hacer la barrida limpia, incluso antes de que ellos fueran lo suficientemente grandes para ayudar, yo usaba el método de la "barrida limpia" cada mañana. Yo creo que todas las mujeres encontrarán que hacer esto les ayudará cuando comiencen o terminen su día.

Esto es lo que yo acostumbraba hacer cuando mis dos hijos mayores eran pequeños: Después de que todos nos despedíamos de papá en la mañana, yo inmediatamente sacaba algunos juguetes para que mis hijos se entretuvieran con ellos (más acerca de esto en el Capítulo 9 "Juguetes") y después me dirigía hacia el segundo nivel para una "barrida limpia" *mañanera*. Yo me dirigía a mi habitación, tendía la cama, recogía o limpiaba alrededor y tiraba las cosas que no pertenecían en esa habitación en una canasta para ropa, incluyendo ropa o toallas sucias. Luego me dirigía al baño principal, y después a las habitaciones de los niños. También vaciaba los botes de la basura en una bolsa café que tenía conmigo.

Si era necesario y los niños aún estaban jugando tranquilos en el primer nivel, le daba una aspirada rápida a las habitaciones de arriba. Luego me dirigía al primer nivel a verificar que todo estuviera bien con los niños y a ordenar las canastas de la "barrida limpia" en el cuarto de lavandería. Comenzaba metiendo a la lavadora una carga de ropa, luego me dirigía a la cocina a meter los platos en el lavavajillas, y a limpiar los mostradores.

También mantenía las habitaciones de arriba fuera de los límites, a excepción de la hora de la siesta, lo cual es fácil de hacer si usted no guarda los juguetes en las habitaciones de los niños (una vez más, abarcaremos el dilema de los juguetes en el Capítulo 9 "Juguetes"). Ah, mientras sus hijos son pequeños, porque pareciera que quieren gravitar hacia las habitaciones limpias, consiga una puerta pequeña para impedirles regresar a las áreas limpias de su casa.

Aquellas que trabajan fuera del hogar

Todas podemos beneficiarnos de este método de ir de habitación en habitación, una vez al día, con la "barrida limpia", ¡especialmente aquellas de ustedes que deben salir a trabajar! Este método la bendecirá, de manera que cuando usted regrese al hogar cansada de un día difícil en el trabajo, usted regresará a una casa limpia.

Para aquellas de ustedes que trabajan, pueden incorporar fácilmente esta rutina ya sea que sea lo primero que haga en la mañana (si usted es una persona mañanera) o justo antes de irse a dormir, que es lo que yo hago ahora aunque yo no trabajo fuera de mi hogar.

Media hora antes de irme a acostar yo hago la barrida limpia comenzando en la cocina, y continuando en la sala, antes de retirarme cada noche. Luego de años de hacer esto con mis hijos, la mayoría de ellos lo hacen por sí solos, e inclusive lo hacen por mí cuando yo estoy demasiado cansada para hacerlo por mí misma (ya que ahora soy una madre soltera de seis hijos que aún viven en casa). ¡Imagine mi alegría cuando me despierto y miro que lo han hecho por mí! Este verso es tan cierto: *"Enseña al niño el camino en que debe andar, y aun cuando sea viejo no se apartará de él"* (Prov. 22:6).

Señoras, con este tipo de método ajustado a su rutina diária, ¡usted se sentirá maravillosamente bien! Usted también se dará cuenta que hacerlo cada mañana o cada noche, le ayudará a mantener su hogar limpio y su vida será menos estresante.

Conclusión

Señoras, les garantizo que la "barrida limpia" revolucionará sus vidas y las hará alegres de nuevo. En lugar de limpiar de la forma en la que la mayoría de nosotras lo ha hecho, corriendo de un lado a otro, y limpiando desastres una y otra vez mientras los encuentra, usted lo hará de forma sistemática y rutinaria.

Una vez más, la "barrida limpia" es simplemente tomar una o dos canastas grandes para ropa y comenzar en un área de la casa, recogiendo todo lo que hay en los pisos, mesas, estantes, etc. mientras "barre" por toda la casa. Una vez que la casa está completamente limpia, ordene lo que ha recogido en bolsas o canastas para cada habitación.

Y como lo dije anteriormente, yo descubrí que la forma más fácil de ordenar sus canastas es rotulando bolsas de papel café de las que se utilizan para las compras. Rotule una bolsa para cada una de las habitaciones de la casa, y rotule otra para "basura" o lleve el bote de basura con usted a donde esté ordenando. Ordene y llene las bolsas para cada habitación. Una vez que todo esté ordenado, lleve las bolsas a cada habitación (que ahora ya se encuentra limpia) y coloque los artículos en su lugar. Guarde las bolsas doblándolas y colocándolas todas juntas adentro de una bolsa café y almacenándolas en su cuarto de lavandería a la par de sus canastas para la ropa.

Este método es por mucho, la forma más rápida de limpiar una casa, ¡porque es tan eficiente ahorrándole muchos pasos! Un hogar limpio mantiene el nivel de estrés bajo en la vida de su familia. Yo he usado este método (y cada método de este libro) por años y le he enseñado a cientos de mujeres a hacer lo mismo. Yo oro porque sea la respuesta a su oración.

———— Capítulo 4 ————

Sacando el mayor provecho de su

Día

Estableciendo una rutina

Más bien, deberíais decir:
Si el Señor quiere,
viviremos y haremos esto o aquello.
—Santiago 4:15

Tener un plan y establecer una rutina para su día a día es muy importante en cada hogar. Con mayores actividades fuera del hogar, más niños o mayores responsabilidades que usted y/o sus hijos tienen, una rutina establecida se convierte en más que necesaria. Si usted establece ciertas horas para levantarse, para dormirse, para comer, y hace las **mismas** tareas en el **mismo** orden **cada día**, usted tardará menos tiempo en terminar todo, y le quedará tiempo para hacer más de lo que usted hace ahora o le dará tiempo para simplemente relajarse. Y cuando usted tiene niños, al tener una rutina bien definida, usted utilizará menos tiempo dando nuevas instrucciones, usted tendrá hijos bien entrenados y bien comportados y esto les ayudará a hacer mucho más cada día.

¡*Ella* se levanta! Proverbios 31:15 nos dice, "También se levanta cuando aún es de noche, y da alimento a los de su casa, y tarea a sus doncellas." Aunque la "mujer de Proverbios 31" realmente se refiere a los lineamientos que una madre le dio a su hijo para hallar a una esposa preciosa, y no es una vara medidora para ver si lo estamos logrando como esposas, podemos obtener mucho de la sabiduría que se encuentra en estos versículos de Proverbios.

Recientemente nos mudamos a un vecindario y uno de nuestros pastores y su familia vive a la vuelta de la esquina. Para mi sorpresa, mis hijos jóvenes regresaron un día a casa después de haberlos visitado, contándome que ¡tenían una empleada doméstica! Su madre es mucho más joven que yo, y su hijo mayor es de la misma edad que mi hijo menor. Cuando yo fui a visitarlos un día, le comenté a ella como desde el primer día que había leído el versículo de Proverbios 31 acerca de "dar tarea a sus doncellas", ¡yo había estado orando y creyendo que algún día tendría una empleada doméstica que levantar y alimentar! Ahora aquí estaba ella con una empleada doméstica, por quien ella no podría haber orado por un periodo mayor al que yo había estado orando!

Luego de nuestra ligera risa, le dije que suponía que el Señor no me iba a dar una para que yo pudiera motivar a las mujeres que tampoco tuvieran una nunca. Si usted está en los Estados Unidos de América hay una gran posibilidad de que no tenga ayuda doméstica, pero yo me sorprendí de cuántas mujeres alrededor del mundo son bendecidas al tener una empleada doméstica que vive con ellas o las ayuda a diario (me hace pensar en mudarme fuera del país algún día, especialmente cuando tengo menos pequeños ayudantes, mis hijos, quienes ayudan a mantener mi hogar bien administrado y limpio desde arriba hacia abajo.) Así que Dios sí me dio los deseos de mi corazón, muchos hijos, y prefiero tenerlos a ellos cerca que cualquier ayuda que pueda contratar.

Mientras usted lee este capítulo, usted puede estarse diciendo, "Bueno, mis hijos son muy pequeños para ayudar" o "Yo solo tengo dos hijos". Primeramente, yo también, en una cierta época, tenía solo hijos pequeños. No obstante, le diré que honestamente si usted se toma el tiempo para invertir en el futuro de ellos (y en el suyo), entrenándolos para que hagan lo que puedan hacer a una edad temprana, usted cosechará los grandes beneficios con posterioridad. Para el momento en que un niño está caminando, él o ella pueden ser motivados a traerle cosas y a guardar sus juguetes. Si usted invierte tiempo, esfuerzo y su entusiasmo para hacer que sus hijos "ayuden" (incluso cuando no le tomaría una fracción de tiempo), cada vez su paciencia se lo permita, está invirtiendo en el futuro de ambos.

Habiendo dicho lo anterior, permítame explicarle que con un hogar que está limpio de desorden y bien administrado, si usted tiene solo un par de niños o si son jóvenes, usted tendrá menos desorden con el cual lidiar. En nuestro hogar, el cual llegó a un máximo de nueve (actualmente hay 6 hijos viviendo en el hogar), tenemos más platos, más ropa, y más personas que dejen las cosas por ahí. Pero también tengo mucha más ayuda para hacer todo si me tomo el tiempo para entrenarlos.

Con los niños más pequeños que son entrenados apropiadamente con algún tipo de rutina, usted se dará cuenta que realmente no hay mayor desorden que sus juguetes regados por doquier, pero hablaré sobre ese método más adelante, el cual si es seguido, ¡básicamente eliminará el desorden de su vida!

Establezca rutinas para dormir para usted y para sus hijos; cosas que haga de la misma manera, en el mismo orden, todas y cada una de las noches. Luego, establezca una rutina para despertarse. Ore por algo que haga que levantarse valga el esfuerzo. Muchos adultos despiertan por una buena taza de café caliente, té o chocolate, mientras leen su Biblia y oran. Al estar de vacaciones en Florida, para mí, un jugo de naranja recién exprimido es un buen cambio. Como lo dije antes, ore acerca de algo que la motivará a saltar fuera de la cama (o al menos a dejar de presionar el botón de posponer la alarma) y haga lo mismo por sus hijos. Los viernes, desde que puedo recordar, hemos tenido "el Día del Cereal Azucarado", ¡ese es un día, al menos, en el que mis hijos no se quedan dormidos o dejan de saltar fuera de la cama!

Si usted sale para su trabajo y/o sus hijos se marchan a la escuela, entonces establezca una rutina para salir de casa de manera rápida y eficiente. Pensar y planear de antemano, y luego hacerlo religiosamente es lo que hace que su vida funcione sin problemas. La variedad es "el condimento de la vida", pero mucha variedad hace que la vida sea muy condimentada e inaguantable.

Rutinas

Cada mañana, yo reviso mi menú para el día, el cual he planeado y escrito desde la noche antes. Yo preparo el desayuno y comienzo a preparar o arreglar los ingredientes para el almuerzo y la cena. Sin embargo, previamente cuando vivíamos tan lejos de un supermercado, en una granja, la mayoría de nuestra carne y otros artículos estaban almacenados en uno de nuestros congeladores profundos. Así que si yo esperaba hasta la mañana para revisar mi menú, la carne no estaría descongelada, sobre todo durante los meses de invierno. Así que fue allí cuando comencé a revisar mi menú desde la noche anterior. Sin embargo, el menú mensual también está en un capítulo posterior, así que por ahora, el momento para decidir "¿Qué hay para cenar?" tiene que ser justo después de la cena o a más tardar antes de que se vaya a acostar.

Permítame desviarme acá en nuestras rutinas de muestra para enseñarle un par de cosas que le ayudarán. Si usted utiliza carne congelada, asegúrese de incluir en su rutina el revisar su menú (básicamente, lo que usted hará para las comidas al día siguiente) la noche antes. Si usted usa carne fresca, entonces su plan de menús debe ser planeado a la primera hora de la mañana.

No haga lo que la mayoría de mujeres hacen y espere hasta cuando usted debería estar *haciendo* la cena para decidir qué va a preparar, solo para darse cuenta que le hacen falta ingredientes, y luego correr a conseguir ese ingrediente (comprando algunas cosas de más que usted no necesita solo porque está hambrienta) solo para terminar cenando tarde, ¡otra vez! O peor aún, corren a comprar comida rápida. Las estadísticas hoy muestran que los estadounidenses comen comida rápida para el 40% de sus comidas, y ¡esta es la razón por la cual este porcentaje exacto de estadounidenses tiene sobrepeso y están enfermos!! Inclusive si a usted no le importa la comodidad, la salud de su familia (o su salud) está en riesgo cuando esta es la rutina de su hogar.

En lugar de caer en esta categoría de obesidad e insalubridad, solo comience ahora por determinar qué es lo que cocinará para la cena ya sea por la mañana, o incluso mejor, una noche antes (especialmente si usted congela sus carnes). En un capítulo próximo, yo la ayudaré a crear un menú mensual (no a cocinar de antemano para un mes, sino que solo a crear un menú para que usted "sepa" qué va a cocinar y "sepa" que tiene los ingredientes adecuados *antes* de comenzar a prepararlo) y una lista de supermercado para coincidir con su menú. Esta pequeña inversión de tiempo, le prometo, ¡cambiará radicalmente su vida y le quitará lo tedioso a la preparación de sus comidas y a realizar sus compras del supermercado! Todo lo que yo hago es simple. Cada método toma solo una pequeña inversión de su tiempo, pero perdura por años el crear un hogar y una vida que se maneja adecuadamente. Ahora de vuelta a nuestras rutinas.

Después de revisar mi menú, lo escribo en una pizarra para que mi familia lo vea. Yo dejé de hacer esto por un tiempo, y luego me percaté de que me ayudaba tanto a mí, como a mi familia, para saber que había en el menú. La razón por la que empecé a hacerlo fue para terminar con la pregunta que nosotras las mamás odiamos contestar, "¿Qué hay para cenar?" También ayuda a mis hijas a saber si harán masa para galletas para el postre, u hornearán pan. Para mí, el escribir el menú del siguiente día en la pizarra es mantenerme a la vanguardia en lugar de quedarme atrás. ¡Que maravillosa sensación!

Si usted es una madre ocupada, usted querrá utilizar una olla de cocimiento lento lo más que pueda, para que su cena esté lista a tiempo. Mi vecina, quien me invitó a darles una charla a todas sus amigas y vecinas acerca de la planificación de las comidas, me dijo que ella está dispuesta a cocinar tres comidas a la semana en la olla de cocimiento lento. ¡Ella es una de las mamás que yo conozco que acostumbraban ser parte de la cultura estadounidense de comer fuera tanto como cinco veces a la semana! Adicionalmente a eliminar la tentación de comer fuera, ¡una olla de cocimiento lento hace que su casa huela maravillosamente todo el día! Yo solía poner la mesa para la cena luego del desayuno. Luego comenzamos a utilizar la mesa para la educación de los niños en el hogar, así que la ponía luego de clases. Cuando vivíamos en la granja, teníamos un comedor formal, así que la mesa se ponía inmediatamente después de comer la cena para que estuviera lista para el día siguiente. Haga lo que funcione para *su* familia, y mientras su familia vaya evolucionando, cambie su rutina para poner la mesa.

El punto de este principio es poner la mesa inmediatamente después de recoger los trastos de la cena (como nosotros lo hacemos ya que tenemos un comedor formal), del desayuno o del almuerzo, o después de terminar sus clases si usted utiliza la mesa para la educación de los niños en el hogar. Solo no espere hasta que usted esté tratando de preparar la comida, como la mayoría de personas lo hacen, para limpiar y poner su mesa.

Mi mejor amiga desde el octavo grado vive en un lugar muy pequeño con su esposo y sus dos hijos. Aunque yo entiendo que es muy pequeño, yo no podía creer que ellos solo hicieran a un lado las "cosas" para que tan solo una persona pudiera sentarse a la mesa. Si su mesa es su "coloca todo", por favor solo corra a tomar algún tipo de canasta o caja para acomodar su desorden mientras come una buena comida en la mesa. ¡Usted y su familia merecen comer una buena comida juntos y eso no significa enfrente de la televisión!

La mayoría de jóvenes que vienen a cenar hacen el comentario de que nuestra familia se sienta a la mesa y comemos la mayoría de nuestras comidas juntos. El comer juntos no cambió después del divorcio. De hecho, lo que cambió fue el número de invitados que tenemos casi a diario para la cena o para el desayuno del sábado. Cuando me enteré de que mi esposo se iba a divorciar de mí de nuevo, yo estaba decidida a buscar las bendiciones en todo y de tomar la mayor ventaja posible en cualquier situación. Las comidas eran una de ellas. Mi exesposo siempre vivía preocupado por el dinero, ¡pero yo sé que Dios provee para TODAS nuestras necesidades y Él siempre nos motiva a dar! Si usted está teniendo problemas con asuntos financieros, entonces por favor lea mi libro en línea *La Mentalidad de Pobreza.* Si es el divorcio lo que le está causando problemas, lea mi libro *Enfrentando el Divorcio.* Estos están disponibles en línea de forma gratuita.

Comida desde lejos. Actualmente, yo "traigo comida desde lejos" de un supermercado local, una vez a la semana para mis ingredientes frescos tales como fruta, vegetales, carne y lácteos. Mis compras mayores también son hechas una vez al mes después de que he planificado mis comidas para el mes. Cuando vivíamos en la granja (y fuimos bendecidos inicialmente con un congelador grande), yo compraba solo una vez al mes. Haga lo que funcione mejor para su situación y para su familia. Haga que sus compras de ingredientes frescos y comidas sean parte de su rutina.

Cuando nos mudamos a la granja, casi toda nuestra carne era producida y destazada en nuestra tierra. Teníamos varios meses de carne en nuestro congelador de carnes para poder escoger de qué forma variar nuestro menú. El resto de nuestras necesidades de compras de una-vez-al-mes se hacían en "la gran ciudad" en Sam's, un almacén de descuentos que se encontraba a una hora de camino y "en la ciudad" en Wal-Mart, el cual estaba como a media hora de camino.

En varias ocasiones intenté hacer todas mis compras en un solo día, pero ni siquiera nuestra camioneta para 15 pasajeros tenía la capacidad para toda esa comida con solo un ayudante y mi persona. Además estaba exhausta de dos horas de manejar, comprar y luego tener que ordenar todo. Luego de mucha oración, dividí las compras en dos días una vez al mes. También fuimos bendecidos en nuestra granja con tres despensas, pero incluso si usted no tiene esta bendición, usted puede guardar muchas de sus compras en su garaje, donde nosotros guardamos nuestros excesos tales como productos de papel.

¡Luego la nube se mudó y también nosotros! Ahora vivimos cerca de una ciudad, a tan solo 5 minutos de un Wal-Mart enorme y a 15 minutos en carro de Sam's. Nos mudamos a una casa más grande, pero tiene una cocina mucho más pequeña y no tiene despensa. ¡Esto significó tener que regresar a hacer las compras una vez a la semana, y por un tiempo, mis hijas hacían todas las compras por mí!

¡Mi teoría es que Dios quiere que use muchos ejemplos para hacer que este libro sea de utilidad para todas ustedes, para que Él continúe moviendo la nube en mi vida!

Si usted quiere ahorrar dinero (o su esposo le ha puesto un presupuesto), compre en las panaderías con descuento. Solían haber varias panaderías con descuento cuando nosotros vivíamos en Florida y cada una tenía sus propias especialidades. Así que pregunte en los alrededores para ver si hay tiendas disponibles en su área.

Usted también puede buscar un día de doble-descuento en el que tendrá mayores ahorros. La mayoría de carnicerías rebajan todas sus carnes por la tarde noche y usted las puede comprar muy temprano a la mañana siguiente (alrededor de las 6AM). No tema dormir poco, ¡Dios nos advierte acerca de dormir mucho! Yo acostumbraba hacer las compras mensuales de carne temprano en la mañana una vez al mes. Era maravilloso escaparme **completamente sola** ya que mi esposo estaba allí con los niños cuando ellos eran pequeños. Los tiempos han cambiado, ahora soy una madre soltera, pero aún encuentro que hacer compras muy temprano me ayuda a evitar las multitudes y me permite tener tiempo a solas, lo cual disfruto mucho.

Las comidas familiares. Una de las tareas más importantes como esposa y/o madre es preparar una buena cena que no se ha hecho de prisa o que no consista en "comida rápida". Debería ser un tiempo que la familia ansía poder compartir, y un tiempo que debe ser apartado cada día para hablar de los acontecimientos diarios. Tomar el postre, desde una porción de fruta, una menta o algo más elaborado como pudín, pastel o galletas hechas en casa, hará que sus comidas sean más especiales. Mi exesposo tenía ascendencia sueca, así que el postre se convirtió en parte de nuestras comidas.

Hablando de esposos, asegúrese de no estar tratando de jugar a la "mamá" con los hábitos alimenticios de su esposo. Incluso si su doctor le ha dado instrucciones estrictas, su esposo no es su paciente. Yo honestamente hubiera preferido vivir con mi esposo en paz y en sumisión a él (para cosechar las bendiciones de llamarlo señor, lo cual hice, vea 1 de Pedro 3:6 si a usted le parece horroroso este concepto) por un corto tiempo, que vivir una vida larga y amargada, ¡que es lo que pasará si usted usurpa su autoridad! Si su doctor, sus padres o su jefe la presionan para que sobrepase la autoridad de su esposo, sonría y dígales que están hablando con la persona incorrecta y que hablen con su esposo. *Ahora de regreso a esta lección:*

Para asegurar un futuro feliz, yo incluí "lecciones de horneo" en la educación de mis hijas. Le enseñé cómo hornear a mi hija mayor cuando ella tenía alrededor de nueve años, y ahora a sus hermanas menores. Hornear es el mejor lugar donde comenzar cuando le está enseñando a sus hijas o hijos, antes de que aprendan a cocinar.

¡Los hombres de nuestra familia AMAN comer galletas frescas y calientitas o cualquier otra golosina horneada para el postre! Nuestra familia es conocida por ofrecer galletas recién horneadas a nuestros amigos cuando vienen de visita. Esta no es la manera en la cual fui criada, pero estoy contenta de que el Señor me haya ayudado a cambiar para que esto pudiera ser parte de la herencia de mis hijos y también de sus propias familias cuando ellos contraigan matrimonio.

Aprender a hornear (después a cocinar) es un entrenamiento maravilloso para el futuro de sus hijas. ¡Que esposo no estaría contento con una esposa que hornee desde cero! Verdaderamente, hornear es un ministerio especial y perdido en la iglesia. Cuando nosotros vivíamos en nuestra granja, mi hija horneaba galletas y pasteles para muchos de los pastores de nuestra iglesia. La mayoría de sus esposas no horneaban, así que era un verdadero deleite y bendición para la familia entera.

¡Mire hacia el futuro! Una vez más, no espere hasta que sean las cuatro de la tarde cuando todo esté hecho un caos (cuando la casa sea un desastre y el bebé se esté despertando de su siesta) para preguntarse "¿Qué deberíamos cenar?" Revise su menú justo después del desayuno, pero mejor aún, la noche antes, especialmente si usted planea utilizar carne congelada.

¡Hágalo fácil! Planee sus comidas grandes especiales solo ocasionalmente. Yo solo hago un desayuno grande y caliente para mi familia los sábados. Mis mejores recetas están en un capítulo próximo; muchas han ganado un listón azul pero son *fáciles* de preparar. Cuando vivíamos en la granja, se hacía necesario hacer un desayuno grande y caliente dos o tres veces más durante la semana. Pero Dios es bueno, ¡a mi hija mayor le encantaba recibir los halagos de la familia y ella se levantaba temprano para preparar estas comidas calientes en mi lugar!

Solo recuerde, nunca le tenga miedo a la simplicidad para balancear su vida. Para los almuerzos yo utilizo platos de papel en soportes para placas codificados por colores, Oh sí, yo creo en la conservación de energia, a mía. Y me importa el ambiente: ¡el ambiente de paz y de poca contienda en nuestro hogar! Sin embargo, también me gusta consentir a mi familia como si fueran invitados al poner una mesa hermosa para todas nuestras cenas y para nuestro gran desayuno del sábado. Mi familia es más especial para mí que los invitados y ellos lo saben por la forma en la que me tomo el tiempo para consentirlos bastante.

¿Quién es primero en el hogar?

Si usted está casada actualmente, por favor asegúrese de tener las cosas que su esposo le ha pedido que haga como lo primero en su "Lista de Quehaceres" en lugar de lo último. (Esto evitará mucho enojo o resentimiento de parte de él y muchos sentimientos heridos de su parte) ¡Nuestro ejemplo, Sara, incluso llamó señor a Abraham! (¡Vea "Esposas, Sean Sujetas" en *Una Mujer Sabia* si usted tiene problemas con este concepto!) Por lo tanto, si usted está casada actualmente, haga que su mayor objetivo sea poner las solicitudes de su esposo como su principal prioridad. Hacer esto me entrenó para poner a mi nuevo Esposo en el primer lugar de mi lista y ¡soy tan bendecida hoy en día!

¿Cuál es el objetivo? Bueno, muchas mujeres me cuentan acerca de sus hijos rebeldes o irrespetuosos, y sienten que han sido maldecidas con ellos. Normalmente, los niños son criados para ser rebeldes como resultado de que sus padres son rebeldes con sus autoridades. Lo increíble de Dios es que a pesar de que mi exesposo era rebelde, mis hijos no lo son debido al respeto que yo le di a mi esposo cuando estaba casada, y que ahora le doy como mi exesposo (de una manera diferente, por supuesto), ya que él aún es su padre.

Mi objetivo es ser un ejemplo para todas las que me están observando, ser un testimonio del amor que siento por mi Señor y Salvador, Jesús, ¡quien verdaderamente es mi Esposo ahora! Esto comienza en el hogar, y aún de forma más profunda, en mi corazón. ¿Qué hay de usted?

Conclusión

Establecer una rutina le ayudará a manejar su vida de forma adecuada y eficiente, y resultará en que usted tenga que dar menos instrucciones y disciplina a sus hijos. Su nivel de estrés se convertirá en alegría, lo cual hará que su hogar, sus hijos y su esposo (si está casada) sean más felices. ¡Tómese el tiempo para establecer una rutina que sea realizable para su vida!

Si usted se está preguntando cómo funcionará esto en su vida, con todas las variables que suceden cada semana, entonces el siguiente capítulo le dará algunas sugerencias mientras comparto algunos de mis horarios variados que le pueden dar ideas que serán funcionales para usted!

—————— Capítulo 5 ——————

Sacando el mayor provecho de

Cada día

¡Cómo empezar!

En el principio creó Dios . . .
—Gen. 1:1

Siempre que hablo con una mujer joven, quien obviamente está abrumada con la tarea de ser ama de casa, yo rápidamente encuentro ciertas áreas distintivas de descuido. La primera área de descuido muy frecuentemente está en crear una rutina diaria para ella y para sus hijos, de lo cual hablamos brevemente en el capítulo anterior.

Con eso dicho, permítame aclarar mi punto. Yo no dije que establezca una rutina para usted, *su esposo,* y sus hijos, no, no. ¡¡No piense, sugiera o insinúe que su esposo necesita ajustarse a *su* rutina, o a la de sus hijos!! Por el contrario, usted y sus hijos deben ajustarse a la rutina de *su esposo.*

"En ella [su esposa] confía el corazón de su marido, y no *carecerá de ganancias*" (Prov. 31:11). ¿Puede su esposo confiar en que él no carecerá de ganancias?

"Y el SEÑOR Dios dijo: No es bueno que el hombre esté solo; le haré una *ayuda idónea*" (Gen. 2:18). Si ser una ayuda para su esposo es un nuevo concepto para usted, o si usted aún está batallando con esta forma de pensar, por favor lea (o relea) la Lección 9, "Ayuda Idónea", en el libro *Una Mujer Sabia,* el cual está disponible a través de la página en línea de nuestro ministerio. Diríjase a AyudaMatrimonial.com para mayor información.

Ahora usted tal vez querrá decirme que la vida de su esposo no tiene rima o razón, pero allí es donde usted está equivocada. Todos los seres humanos son criaturas de hábito. Si usted cree que su esposo no tiene un rutina de mañana, ¡le diré que usted no ha estado observando! Recuerde, "Mujer hacendosa, ¿quién *la* hallará? Su valor supera en mucho al de las joyas" (Prov. 31:10). Era muy difícil encontrar una mujer virtuosa en los tiempos en los que se escribió el libro de Proverbios, ¡ahora es casi imposible!

¿Así que qué ocasionó que sea más difícil encontrar una mujer virtuosa en el mundo de hoy? Las nuevas ideas feministas han retorcido nuestras mentes, y ahora nuestra forma de pensar se ha vuelto distorsionada. Este versículo de la Biblia debería enderezarnos. "Porque el hombre no procede de la mujer, sino la mujer del hombre; pues en verdad el hombre no fue creado a causa de la mujer, sino la mujer a causa del hombre" (1 Cor. 11:8-9). Este principio constituye el fundamento principal de nuestros hogares. Sin un fundamento piadoso, ¡nuestras casas serán derrumbadas mientras las destruimos con nuestras propias manos sin saberlo! "La mujer sabia *edifica* su casa, pero la necia con sus manos la *derriba*" (Prov. 14:1).

Una vez más, el primer paso que usted debe tomar es establecer una **RUTINA** para usted y sus hijos **que se** adapte al horario de su **esposo**. Usted puede pensar que los conceptos de "horario" y "rutina" son intercambiables, pero no lo son. Un horario denota "tiempo," mientras que una rutina comprende un patrón para llevar a cabo ciertas actividades. Ahora, ciertamente el *tiempo* será un factor en su rutina; sin embargo, me he dado cuenta que cuando utilizo el tiempo para establecer mi rutina, ¡rápidamente me siento estresada, ansiosa y eventualmente frenética!

Una vez más, una rutina es simplemente una manera en la cual llevar a cabo sus actividades en un orden particular, cada día. Su rutina actual puede ser levantarse, hacer café, gritarle a sus hijos que "¡paren …!" luego sentarse frente al televisor a ver algún programa matutino hasta que llegue la hora de almuerzo.

O su rutina puede ser levantarse tarde, correr hacia las habitaciones de sus hijos, gritarles "¡levántense porque se nos ha hecho tarde!", servir cereal en un tazón, colocar algo en sus loncheras, y pasar diez minutos en pánico mientras desesperadamente busca las tareas, un zapato o algo más que usted no puede encontrar. Todos tienen una rutina. Lo que yo propongo es que usted establezca su rutina. No deje que esta la establezca a usted.

Cuando a usted le surja una idea para su rutina, no la haga muy ambiciosa e inalcanzable. ¿Cuántas veces ha decidido tomar el control de su día y luego se da por vencida antes del almuerzo? Usted no es un fracaso si esto le ha ocurrido. Simplemente usted no tenía la mentalidad adecuada cuando usted comenzó.

Despiértese

Lo primero que usted hará en la mañana es despertarse, así que comencemos por allí. ¿Programa una alarma o usted se levanta cuando escucha a sus hijos pelear? ¿O, abre usted un ojo cuando su esposo la besa despidiéndose? ¿Se escabulle él esperando no tener que enfrentarse con su cara cansada, su pelo enmarañado y su mal aliento?

¿Cómo *querría* usted comenzar su día? *Sean cuidadosas acá chicas y no se vuelvan muy ambiciosas.* Establezca una hora que fácilmente pueda (o al menos que le sea posible) cumplir. Puede ser bueno considerar levantarse antes que, o al menos al mismo tiempo que su esposo se levante. ¿No estaría de acuerdo? Déjeme sugerirle que vaya y se rocíe un poco de agua tibia o fría en su rostro, incluso tal vez cepille sus dientes. ¿Le gusta a usted el café, el té caliente o quizás jugo por la mañana? Incluso un buen vaso de agua fría le ayudará a ponerse en marcha. ¿Por qué no averiguar lo que le gusta tomar a su esposo y llevárselo junto con un beso de buenos días?

Si también es hora de que sus hijos se levanten, despiértelos con un beso o con una caricia en la espalda si ya son niños grandes. Mi hija más pequeña ama el café (terrible, pero es verdad). Cuando me siento en su cama sosteniendo la taza de café, le ofrezco un sorbo, lo cual la hace sonreír, darse una buena estirada y luego se sienta.

Si sus hijos aún no "tienen" que levantarse, déjelos dormir un poco más para que usted pueda cumplir con esta maravillosa sugerencia de proverbios: "También se levanta cuando aún es de noche, y da alimento a los de su casa, y tarea a sus doncellas" (Prov. 31:15). La primera vez que leí esto pensé, "¡Bueno, una vez que consiga algunas empleadas domésticas (solo una estaría bien), entonces me levantaré cuando aún esté oscuro!" ¡Años atrás, la forma en la que racionalizaba este versículo era diciéndome a mí misma que aunque no estuviera oscuro afuera, yo *sentía* como que lo estuviera!

Yo conozco muchas mujeres que hacen este tipo de cosa (levantarse cuando aún está oscuro). Recientemente yo adquirí un libro de una mujer que programaba su día completo (cada minuto de cada día) e individualmente programaba cada minuto del tiempo de sus ocho hijos. ¡Cuando se sentó a escribir todo lo que necesitaba hacer cada día, ella se dio cuenta de que no podía lograrlo todo en 24 horas! (me siento identificada) ¡Así que ella concluyó que ella lo podía lograr si dormía menos! Tan rápido como leí eso, sin considerarlo por un momento, me dije "¡De ninguna manera!"

Ahora, yo admitiré que no siempre tengo mis buenas ocho horas de descanso, porque suceden cosas. Las visitas pueden alargarse, de forma muy frecuente estamos afuera en una cita por la noche, podemos (y usualmente lo hacemos) estar de visita con mis hijos mayores, o hay ocasiones en las que uno de mis hijos está enfermo, ¡pero por el amor de Dios, no voy a *planear* dormir menos a propósito!

Prefiero declarar esta Palabra para que me guíe en esta decisión sumamente importante: "Es en vano que os levantéis de madrugada, que os acostéis tarde, que comáis el pan de afanosa labor, pues El da a su amado aun mientras duerme" (Salmos 127:2). ¿Se percató de que el versículo dice que no debemos acostarnos tarde? Yo preveo mi hora designada para dormir media hora antes para poder acostarme a una hora decente cada noche siempre que sea posible.

Sin embargo, ya que ya no soy tan joven y luego de haber vivido en una granja, se ha vuelto más difícil dormir hasta tarde. Usualmente estoy despierta a las cuatro o a las cinco de la mañana. ¡Me hace reír leer los párrafos anteriores, con un poco de anhelo por como solían ser las cosas! Sin embargo, yo nunca supe que me estaba perdiendo los más hermosos amaneceres o la preciosa soledad de las horas de la mañana en compañía del Señor, hasta que nos mudamos a nuestra granja. Y aunque ya no vivimos en una granja ¡Dios me despierta fielmente antes del amanecer para compartir tiempo y un café con Él!

No puede levantarse

Si usted tiene problemas (o tiene problemas con sus hijos) para levantarse, yo tengo la solución. El problema es que la mayoría de personas lo hacen al revés. Ellos tratan de irse a dormir más temprano para poder levantarse por la mañana. Esto nunca funcionará. En su lugar, levántese (o levante a sus hijos) solo una mañana a la hora que usted dijo que lo haría, sin importar a qué hora se acostó a dormir. Luego, no tome una siesta (haga que la siesta normal de sus hijos sea corta u olvídela si aún la toman) y entonces todos comenzarán a irse a dormir a tiempo. Cada vez que usted comience a dormirse tarde, lo cual la hace levantarse tarde, use este método para retomar su patrón de sueño de nuevo.

¿Es usted una persona que lucha con la culpa porque siente que debería levantarse más temprano? ¿Es usted el tipo de persona que piensa que debería tener al menos una hora con el Señor—incluso si eso significa que su "tiempo a solas" comenzaría a las 3:30 a.m.? Permítame darle el versículo que el Señor me dio cuando yo estaba al borde de un colapso nervioso (bueno, quizás mi colapso estaba en todo su esplendor cuando Él me lo dio): "Venid a Mí, todos los que estáis cansados y cargados, y yo os haré descansar. Tomad Mi yugo sobre vosotros y aprended de Mí, que soy manso y humilde de corazón, y HALLAREIS **DESCANSO** PARA VUESTRAS ALMAS. Porque **Mi** yugo es *fácil* y **Mi** carga *ligera.*" (Mateo 11:28-30).

Durante casi seis años, yo casi no dormí. Todo comenzó cuando mi esposo se había ido y yo estaba buscando al Señor para la restauración de mi matrimonio. Yo simplemente no podía dormir porque él no estaba a mi lado en la cama. Durante muchas noches, yo *pensé* que lo había escuchado en el balcón de nuestra casa. (¡yo siempre he pensado de forma positiva!) Yo estaba segura de que en cualquier momento él iba a entrar en razón e iba a llegar saltándose la cerca, hacia el balcón y que iba a tocar suavemente mi puerta de vidrio corrediza. ¡Y por supuesto, yo no quería perderme su regreso a casa!

(Lea Cantar de Cantares 5:6 si no entendió la idea).

Luego de que él regreso a casa (lo que, por cierto, ocurrió a través de una llamada telefónica, NO a través de él trepándose por el balcón de nuestra casa), yo casi me obsesioné con ser la esposa perfecta. Yo tuve un bebé tras otro. Estos tres dulces bebés inevitablemente se despertaban para que yo les diera de mamar y luego yo era incapaz de volverme a dormir. Me iba a mi computadora y escribía hasta el amanecer. Esto continúo por cuatro años. ¡El libro completo de una *Mujer Sabia* fue escrito en un horario entre las tres y las siete de la mañana y con una mano, mientras con la otra le daba de mamar a mi bebé!

¿Sabía usted que existe algo llamado "privación del sueño? Bueno, pues yo lo tenía. ¡Uno se vuelve loco! En realidad, comienza con volverse "ansiosa." Usted no puede dormir; no puede descansar. Entonces usted se vuelve loca, y se dirige a sufrir un colapso. Me ha tomado un largo tiempo reponerme; ¿o me he repuesto?

Ahora estoy convencida de que nosotras las mujeres hemos sido engañadas para creer que debemos ser súper-humanas. Hemos creído la canción "Yo soy mujer, soy fuerte . . ." Pero, eso es una mentira (¡puedo dar fe de ello!), La Biblia dice (y Su Palabra es la verdad), "Y vosotros, maridos, igualmente, convivid de manera comprensiva con vuestras mujeres, como con un **vaso más frágil**, puesto que es mujer . . ." (1 Pedro 3:7).

Ser más débil no es algo de lo cual avergonzarse; es la forma en la que fuimos creadas. No fue un error; no es un defecto. Dios nos hizo de esta manera por un propósito—Su propósito. Y créame cuando le digo, cada vez que usted trata de cambiar Su propósito para su vida, hay problemas.

Así que relájese, acuéstese temprano si puede, y levántese a una hora razonable. Ahora, hemos utilizado más de tres hojas en el tema de levantarse. Veamos si podemos ir al grano.

¡Ahora que está despierta!

Cree su rutina basada en lo que usted quiere hacer o lo que usted necesita hacer después. Usted entrará en una de dos categorías: la categoría del "necesito hacer" o la categoría del "quiero hacer". Si su esposo aún no se ha ido al trabajo, es un "necesito hacer." Usted *necesita hacer* ciertas cosas como esposa.

Si sus hijos tienen una hora a la cual deben marcharse para la escuela, también es una decisión de "necesito hacer". Usted *necesita hacer* ciertas cosas como madre.

Yo estoy en la categoría de "quiero hacer" (alabado sea el Señor). Ni mi esposo ni yo íbamos a trabajar y nuestros hijos no iban a la escuela.

(Si a usted le interesa LIBERARSE de mandar a sus hijos a la escuela, usted puede averiguar acerca de la MEJOR decisión que mi esposo y yo hemos tomado en la última lección de *Una Mujer Sabia,* e información más específica en *Entre por la Puerta Estrecha: ¡Educando en Casa con Convicción!).*

Hay tanta libertad en vivir en la categoría de "quiero hacer". Si usted está en esta categoría porque aún tiene hijos pequeños, y tiene la bendición de estar en casa, ¡usted tiene libertad! Así que permanezca en ella manteniendo a sus hijos en casa y educándolos por su cuenta.

Ahora, la libertad es ser libre para hacer "no solo lo que usted *quiere"* sino "lo que usted *debe".* "Porque el deseo de la carne es contra el Espíritu, y el del Espíritu es contra la carne, pues éstos se oponen el uno al otro, de manera que no podéis hacer lo que deseáis" (Gal. 5:17).

"Por lo demás, hermanos, os rogamos, pues, y os exhortamos en el Señor Jesús, que como habéis recibido de nosotros instrucciones acerca de la manera en que *debéis andar* y agradar a Dios (como de hecho ya andáis), así abundéis en ello más y más" (1 Tesal. 4:1).

La libertad sin gobierno o fuera de control no es otra cosa que esclavitud. Su carne empezará a dominar su vida. Incluso usted podrá quedarse sentada en un estupor letárgico, tal y como se describe en la Palabra.

"¿Hasta cuándo, perezoso, estarás acostado? ¿Cuándo te levantarás de tu sueño?" (Prov. 6:9).

"Como la puerta gira sobre sus goznes, así *da vueltas* el perezoso en su cama" (Prov. 26:14).

"El deseo del perezoso lo mata, porque sus manos rehúsan trabajar..." (Prov. 21:25).

O usted está muy ocupada llegando a ninguna parte:

"Es alborotadora y rebelde, sus pies no permanecen en casa; está ya en las calles, ya en las plazas, y acecha por todas las esquinas" (Prov. 7:11-12).

"No considera la senda de la vida; sus senderos son inestables, *y no lo* sabe" (Prov. 5:6).

¿Corre usted de un lugar a otro, de un proyecto a otro proyecto, de casa en casa, de tienda en tienda, y no logra hacer nada en su hogar?

El segundo de los versículos describe a la mujer adúltera. ¿Le ha sido usted infiel a su esposo porque ha descuidado su responsabilidad como ama de casa, esposa y madre? Esta es una de las razones por las cuales muchos hombres dejan a sus esposas, y por la cual muchos hombres jóvenes están optando por *no* casarse. ¿Por qué deberían hacerlo? Incluso la iglesia está llena de prostitutas con las cuales pueden acostarse. ¿Si él decidiera casarse, estaría ella en casa cuidando del hogar y de sus hijos?

¿Estaría ella afuera trabajando, mientras sus hijos son criados en una guardería? ¿Vería ella sus responsabilidades en el hogar y con sus hijos como su carrera y trabajaría de acuerdo a ello? ¿O simplemente se quedaría en casa descuidando sus obligaciones?

Nuestros hijos mayores están llegando a la edad para contraer matrimonio y encontrar una esposa "virtuosa" parece casi imposible. ¡Una mujer joven que no esté interesada en tener una carrera es como buscar una aguja en un pajar! Incluso aquellas que argumentan querer ser amas de casa están yendo a la universidad, buscando tener un título para tener algo a lo cual "recurrir." Desafortunadamente, cuando usted se prepara para un "Plan B," por lo general este sucede. (Para mayor información acerca de cómo capacitar a mujeres jóvenes versus hombres jóvenes, y mayor información acerca de los peligros de ser una mujer trabajadora, lea *Una Mujer Sabia.*).

¿Por cuánto tiempo podría su esposo conservar su empleo si se sentara en la cafetería a leer una revista? ¿Por cuánto tiempo podría conservar su empleo si saliera a hacer unos mandados para su jefe y permaneciera afuera hasta el anochecer? ¿Por cuánto tiempo podría conservar su empleo si él no hiciera su trabajo?

Chicas, no vengan llorando a mí pretendiendo que no sabían. Esta es la razón por la cual los hombres abandonan a sus esposas. ¿Qué hombre quiere llegar a casa a una mujer con una mala actitud, que descuida sus obligaciones, y que aun así tiene el valor de enfrentarlo?

No muchos años atrás, los hombres solían estar frenéticos por encontrar una esposa y casarse. Una mujer era bien considerada cuando su deseo era tener hijos para su esposo, formar hijos bien educados, mantener un hogar limpio, cocinar comidas deliciosas y ser su amante por las noches. Si esto le resulta repulsivo, entonces su mente está fijada en los males de este mundo y usted es ignorante de la Palabra de Dios. Si yo estoy equivocada, ¿entonces cómo llegaron Proverbios 31 y Tito 2 a formar parte de la Biblia?

Nuevamente pregunto, ¿ha sido una esposa infiel a su esposo? Si usted lo ha sido, arrepiéntase delante del Señor y pídale a Él que la cambie. Ahora que usted está motivada, regresemos al tema que nos interesa.

¿Qué sigue?

Luego de que usted se despierta, el siguiente paso sería vestirse, desayunar o tender las camas. Para tomar esta decisión, pregúntese a sí misma "¿Qué debería hacer?" si está en la categoría de "necesito hacer". Si usted es una "quiero hacer", pregúntese a sí misma, "¿Qué me haría sentir motivada? ¿Qué me mantendría en movimiento para llevar a cabo la siguiente tarea? ¿Qué me hará superar el próximo obstáculo?"

Algunas mujeres se sienten cien veces mejor con tan solo librarse de sus batas de baño. Otras mujeres tan solo necesitan tener algo en sus estómagos, o darles de comer a sus hijos. Algunas deben hacer sus camas antes de salir de su habitación para sentirse mejor. *¡Si usted se siente tentada a volver a meterse a la cama, le sugiero que tienda su cama de primero!* Y a algunas mujeres les gusta caminar o ejercitarse.

Si usted es una fanática del ejercicio, déjeme hacerle una pregunta de primero. ¿Una vez que se ha ejercitado se siente tan cansada que ya no puede hacer nada? ¿O se siente vigorosa y lista para derribar al mundo? Todas nos conocemos a nosotras mismas. Tómese un poco de tiempo para reflexionar esta pregunta. *Selah.* (Cuando vea esto en su Biblia, significa que reflexione el pensamiento en su mente por un rato.)

El ejercicio es maravilloso si le ayuda a mantenerse tranquila y si la pone de buen humor sin agotarla. Sin embargo, ¡un buen ejercicio puede lograrse al hacer una limpieza profunda de su casa! Hacer flexiones al recoger las cosas del piso, aspirar vigorosamente para mantener su corazón latiendo, fortalecer sus brazos al limpiar los inodoros o las bañeras, o incluso hacer un buen pan hogareño amasándolo mucho son buenas maneras de ejercitarse. Las mujeres actualmente descuidan sus hogares y se van al gimnasio o a trotar alrededor del vecindario. Está bien mantenerse en forma, siempre y cuando su hogar no refleje negligencia.

Para ayudarla a establecer una rutina, puede ser de ayuda que yo le cuente lo que yo hago cuando me levanto y quizás, algunas cosas que hacía antes de manera diferente. Esto puede ayudarle a decidir cómo establecer una rutina para usted.

Otra rutina

Cuando mis hijos estaban pequeños y aún no tenían la edad para ir a la escuela esta era mi rutina. Yo usualmente me despertaba a la misma hora, a las siete de la mañana, cuando escuchaba a mi esposo en la ducha. Yo me levantaba, tendía nuestra cama, y ordenaba la habitación. Yo colocaba la ropa de mi esposo en su perchero (ese estante en el que se coloca la ropa de los hombres). En ese entonces, yo planchaba todo al no más salir de la lavadora y lo colocaba en el closet. Pero cuando nuestros closets se volvieron más pequeños y amontonados, yo no podía apartar esa cantidad de tiempo para planchar. En su lugar, yo comencé a tomar su ropa y a plancharla antes o durante su baño.

Déjeme asegurarle que todos mis hijos y mis hijas pueden planchar su propia ropa (los más jóvenes son muy pequeños aún, pero ellos aprenderán). Mis hijas saben que algún día ellas plancharán la ropa de sus esposos; por lo tanto, de forma frecuente bendicen a sus hermanos al plancharles su ropa.

Luego de colocar su ropa, yo bajaba a hacer café, algunas veces leyendo mi Biblia, y esperando hasta que escuchara a los pequeños haciendo ruido en el segundo nivel. (Cuando los niños tienen una rutina establecida para comer y para dormir, ellos se levantarán alrededor de la misma hora cada mañana.) Luego, yo subía, los besaba dándoles los buenos días, y los ayudaba a vestirse. Para la hora en la que salíamos de su habitación, las camas ya estaban tendidas y la habitación ordenada. Y a menos que tuviera que limpiar los baños ese día, nadie subía al segundo nivel hasta la hora de la siesta.

Después, todos nos reuníamos en el primer nivel para el desayuno con papá y lo acompañábamos al carro, diciéndole adiós mientras él se marchaba. Una vez adentro, nos dirigíamos al closet de juguetes "cerrado con llave" y escogíamos los juguetes designados para el día. (Mayor información en cuanto a cómo organizar los juguetes de los niños en el Capítulo 9 "Juguetes") Luego, yo comenzaba a lavar una carga de ropa y revisaba mis tarjetas de tareas (¡más acerca de las tarjetas de tareas en el excitante capítulo a continuación!) para ver lo que necesitaba hacer para el resto del día.

Un ejemplo final de rutina

Cuando tenía cuatro niños y el mayor comenzó a asistir al jardín infantil (yo no comencé a educarlos en casa hasta que el mayor de ellos estaba comenzando el segundo grado), mi rutina era como esta.

Mi despertador sonaba a las 6:30 a.m. Yo me levantaba y despertaba a Dallas (¡Eeeeek, el infame bus escolar!) Yo iba y le preparaba el desayuno, y él me seguía a la cocina después de haberse vestido para la escuela. Yo le daba su lonchera y su mochila. Cuando Dallas regresaba a casa de la escuela, yo limpiaba su lonchera, preparaba su refacción para el día siguiente y la colocaba en la refrigeradora. Él fue enseñado a hacer sus tareas inmediatamente al llegar a casa, luego yo las revisaba; él arreglaba su mochila, y la colocaba frente a la puerta principal.

Todos los demás aún estaban durmiendo, así que yo acompañaba a Dallas a la parada del bus y esperaba a que él abordara el mismo. Después, caminaba de regreso a casa, usualmente para encontrar a alguien despierto. Entonces preparaba el desayuno para el resto de la familia, alimentaba al bebé, y encaminaba a mi esposo a la puerta o al carro con los niños a cuestas.

Una vez adentro, otra vez sacaba los juguetes del día para que los niños jugaran con ellos. Después de que ellos comenzaban a jugar, yo me dirigía a cada una de las habitaciones a tender las camas, recoger la ropa sucia, vaciar los basureros, aspirar y sacudir. Después, iba a la siguiente habitación y hacía lo mismo. Señoras, se siente tan bien tener una casa limpia.

Otro consejo maravilloso: yo nunca permití que mis hijos jugarán en sus habitaciones. Las habitaciones son para dormir, vestirse y leer. Algunas veces, yo he tenido áreas de juego; usualmente ha sido en la sala. Y antes de que les permitiera salir a jugar, almorzar o acostarse a tomar una siesta, todos los juguetes debían ser recogidos. No es difícil si solo hay una cubeta de juguetes afuera en cada ocasión. (De nuevo, hablaremos de forma más específica acerca de los juguetes en un próximo capítulo.)

Una vez más debo abrir mi corazón acerca de la educación en casa. Si alguna VEZ ha considerado educar a sus hijos en casa, déjeme decirle que mi esposo y yo pensamos que fue la MEJOR decisión que alguna vez tomamos, y esto ha producido los buenos frutos en las vidas de nuestros hijos, de los cuales muchas personas comentan al respecto.

Yo hice una serie de videos y una serie de audios titulada *Educando en Casa para Él!! (Me refiero a educando en casa para el Señor y no a cómo hacer que su esposo eduque a sus hijos en casa)*, eso la motivará y le dará la confianza para hacerlo. Yo he simplificado la educación en casa, he puesto a Dios en el centro, y he compartido este método con muchas mujeres que conozco o que he conocido, y también en conferencias acerca de educar en casa. Me han dicho que ahora encuentran que educar a sus hijos en casa es muy fácil y satisfactorio. Tómese un momento para ir a la tienda de nuestra página web para mayores detalles, usted nos encontrará en RestoreMinistries.net.

Conclusión

Espero que usted pueda establecer una rutina para su familia de algunas de las que le he compartido. Cuando usted establece una rutina, usted necesita llevarla a cabo *rutinariamente* todas las mañanas de cada día.

Este es el lugar para comenzar a recuperar el orden en su vida y en su hogar. La variedad se dice que es el "condimento de la vida". ¡Pero mucha variedad (o condimento) hace que las cosas sean salvajes y muy picantes para ser manejadas! Si usted no tiene una rutina, y usted debe decidir cada día qué hacer a continuación (sin mencionar hacer que sus hijos hagan algo nuevo cada día), ¡usted nunca querrá salir de su cama!

Dios es un Dios de orden y de rutina. Cada mañana, el sol sale en el este a la misma hora. Nuestras estaciones ya están establecidas. La gestación de un bebé, la labor de parto y el nacimiento: todo sucede en tiempos específicos y de acuerdo a una rutina establecida. Esta es la manera de Dios, una manera de orden y de predictibilidad. Vuélvase más piadosa al seguir Su ejemplo y al establecer una rutina viable para la vida de su familia. Esto le traerá la "¡paz que sobrepasa todo entendimiento"!

Capítulo 6

Sacando el mayor provecho de su

Horario

Cuente sus días

Enséñanos a contar de tal modo
nuestros días, que traigamos
al corazón sabiduría.
—Salmos 90:12.

Cada vez que me emociono con algo nuevo para probar con mi familia, alguna crisis ocurre. ¡El enemigo es un ladrón! Ya que usted ha orado por ayuda para su vida, y Dios le ha respondido dándole un nuevo plan, sin lugar a dudas el enemigo vendrá a tratar de arruinarlo. ¿Ya le ha sucedido esto la primera mañana en la que usted trató de establecer una rutina con su familia?

El bebé se enferma, su esposo le pide que haga algo inusual para él, o su familia decide llegar de visita esa misma semana. ¡Esto es parte de la vida cotidiana!

"¡Amados, no se sorprendan del fuego de prueba que en medio de ustedes ha venido para probarlos, como si alguna cosa extraña les estuviera aconteciendo, pero regocíjense!" (1 Pedro. 4:12). "Regocíjense en el Señor siempre. Otra vez *lo* diré: ¡Regocíjense!" (Filipenses 4:4) ¡Así que regocíjese! ¡Esto solo significa que va por el camino correcto, porque el enemigo está tratando de frustrar sus esfuerzos!

Siempre es importante planear de antemano, establecer una rutina en su vida (tal y como lo discutimos en el último capítulo), y organizar su hogar y su vida; pero recuerde, las pruebas, las adversidades, y las tentaciones vendrán a su vida cada día, así que usted debe estar lista con un plan de acción, ¡no deje que las adversidades la tomen a *usted* por sorpresa!

Cuando usted se levante todas las mañanas, acuda a Dios y pregúntele cuál es Su plan. Esto es a lo que el versículo de Proverbios 3:6 se refiere, *"Reconócelo en todos tus caminos*, y El enderezará tus sendas". Esto es especialmente cierto cuando una crisis la golpea. Acuda a Dios **primero**, reconozca que Él quiere ayudarla, y deje que Él dirija el siguiente paso que usted tome. ¡Es así como Dios puede transformar nuestras adversidades en triunfos! Y no se olvide de **agradecerle** a Él por cada adversidad, porque Él promete usarlas para nuestro bien. (Vea Romanos 8:28).

Primera de Corintios 10:13 dice, "No les ha sobrevenido ninguna tentación que no sea común a los hombres. Fiel es Dios, que no permitirá que ustedes sean tentados más allá de lo que pueden *soportar*, sino que con la tentación *proveerá también la vía de escape*, a fin de que puedan resistirla..." Como amas de casa, todas enfrentamos adversidades, ¡pero lo importante es encontrar el camino de Dios *a través* de ellas!

Métodos de organización para ahorrar tiempo *y* frustración

Aunque lo inesperado sucede cuando usted menos lo espera, no podemos enfocarnos en días como estos. Dejando a un lado los eventos dramáticos, enfoquémonos en maneras de organizar su vida para que cuando las cosas sucedan, aún seamos capaces de funcionar o de retomarlas en donde nos quedamos.

Notas: ¡Usar y hacer notas solo es bueno si usted constantemente las consulta, las usa diligentemente, y las tiene cuando las necesita! En lugar de tener notas regadas por toda la casa, tales como "notitas pegajosas", otros pedazos de papel o listas, usted puede considerar utilizar un *organizador o agenda* para mantener sus listas juntas y todas las demás cosas que usted necesita.

Organizador: Los organizadores son maravillosos y yo los he usado por años. Sin embargo, cuando usted escoja uno, asegúrese de que sea sencillo y que se ajuste a sus necesidades. Pareciera que son diseñados para ejecutivos, y no para personas como nosotras; por lo tanto, las secciones que usted no vaya a utilizar, remuévalas, y ya sea tírelas o regálelas a la beneficencia. (Yo solía guardarlas pensando que algún día las utilizaría. En su lugar, solo se convirtieron en una cosa más que conllevó a que yo tuviera que limpiar el desorden de mi casa más pronto.) Lo mejor que usted puede hacer es solo conservar las secciones que cubren *sus* necesidades.

Cuando nos mudamos a la granja y vivíamos muy lejos de todo, yo me percaté de que yo no salía tanto como lo hacía cuando vivíamos en la ciudad (cuando yo dependía sobremanera de mi organizador, el cual llevé conmigo a todos lados).

Esta sección fue escrita originalmente cuando yo estaba fuera de casa de forma frecuente, lo que significaba que yo debía mantener mi método de organización *conmigo*. La mayoría de ustedes no viven en entornos rurales ni pasan la mayor parte del tiempo en casa, así que quiero que este capítulo las ministre.

Lo primero que necesita hacer con un organizador es mantenerlo con usted.

Incluso ahora que vivimos en la ciudad de nuevo, me doy cuenta de que yo trato de no dejar mi hogar muy seguido, y si lo hago, es por períodos cortos. En casa, constantemente estoy en mi computadora, la cual alberga mi "organizador" o mi calendario diario y notificaciones de la oficina, que me recuerdan durante todo el día lo que necesito hacer y cuando debo hacerlo. También utilizo la alarma de mi teléfono para recordarme cuando hay algo que necesito hacer.

A pesar de que yo claramente vivo en la "era de las computadoras" y en la vía rápida cuando viajo alrededor del mundo, me he dado cuenta que en realidad prefiero el método del organizador que una agenda electrónica. ¡La regla de oro es que usted debería usar el método que funcione para usted!

¡Una vez más, la regla más importante al utilizar cualquier organizador es que usted debe mantenerlo con usted **todo** el tiempo! Esto significa que usted lo lleva consigo cuando usted se mueve a otra habitación en la casa, y asegúrese de que su bolso sea lo suficientemente grande para acomodar su organizador lo mejor posible.

Hay organizadores que en verdad se pueden acomodar en mi billetera o en mi bolso. Desde que comencé a viajar, me di cuenta que he simplificado mi vida y ahora solo cargo una bolsa para los billetes, monedas y tarjetas de crédito. Si yo salgo de la casa, usualmente es por un mandado corto, y si es por períodos largos, yo acostumbro cargar mi computadora portátil para trabajar y para tener mi organizador conmigo.

Otro aspecto: lo que funciona ahora, o lo que funcionó entonces, puede necesitar ser ajustado mientras su vida y sus necesidades cambian.

Otro gran consejo es asegurarse de utilizar un *lápiz* en lugar del *lapicero* con el cual puede venir su organizador. Esto aplica para una agenda o para un calendario de pared. Utilizar un lápiz hará que sea más fácil mover o cambiar las cosas tales como eventos, no solo día a día, ¡sino que a veces momento a momento!

Con un organizador (que yo cargo conmigo o el que está en mi computadora), ¡me he dado cuenta de que soy capaz de llevar a cabo mucho más de lo que podría si no tuviera uno y con mucho menos estrés! Aquí hay algunas de las cosas que yo mantengo en mi organizador que me ayudan a mantenerme organizada y según lo previsto.

Números de teléfono: Muy bien, este solía ser uno de mis mejores consejos, pero ahora, con el uso generalizado de los teléfonos celulares y la función de marcado RÁPIDO, la mayor parte de esto ya pasó de moda. Así que solo déjeme darle un par de sugerencias.

Asegúrese de utilizar la función de marcado rápido para los asuntos que frecuenta y especialmente para sus doctores o dentistas (me encanta que justo tengo esto en la mano cuando lleno formularios). Agregue el número de su banco, oficina postal, biblioteca, supermercado y su restaurante favorito de comida para llevar. El inconveniente con los teléfonos celulares es que yo solía tener en mi organizador las horas a las que abrían estos lugares. Quizás haya alguna manera de hacerlo en mi celular, pero yo no soy muy dotada con el uso de los teléfonos celulares.

Calendario: Utilice el calendario "mensual" en su organizador si usted usualmente tiene un número mínimo de citas (de tres a cuatro citas o compromisos a la semana). O utilice "la semana en un vistazo" si usted es una persona razonablemente ocupada (más de una cita al día). Si usted está ocupada todo el día, usted querrá utilizar un calendario diario o solo utilizar el calendario diario para aquellos días en los que esté planeando muchos mandados o citas. También me gusta el listado de las horas para hacer listas.

Soy una persona que utiliza "notitas pegajosas"; por lo tanto, pareciera que las tengo escondidas por doquier para poder anotar cosas cada vez que lo necesito. Mi método es tomarlas y pegarlas en mi computadora y luego insertar la información anotada cuando estoy trabajando en mi computadora. También las utilizo cuando estoy haciendo mandados. La forma de hacerlo es simplemente anotando todo lo que se le venga a la mente, sin ningún orden en particular. Simplemente anote cada parada que deba hacer en la notita, y luego *ennumere las notitas* en el orden que necesite o quiera. Luego las pego en el tablero de mi vehículo y yo nunca me pierdo una parada o cita.

Otro consejo útil es hacerse el hábito de "programar" cuando usted va a *salir* de la casa versus la hora de la cita. Solo asegúrese de anotarlo: "salir a las 9", para que usted no llegue media hora antes. También, programe la hora en la que debe estar lista y la hora en la que debe comer (desayuno, almuerzo o cena). Si usted es una de esas personas que siempre llega tarde, cambie ese mal hábito previendo su tiempo. Deje 30 minutos, en lugar de 15 minutos.

Alguien que siempre llega tarde no solo tiene un problema con ser una persona desorganizada; él o ella también tienen un problema de orgullo. Lo que implica al llegar tarde es que su tiempo es más valioso que la persona a quien usted está haciendo esperar cada vez que usted llega tarde. Ya sea que se trate de una cita, un compromiso para almorzar o la iglesia, tómese el tiempo para redefinir su vida al permitirse suficiente tiempo para arreglarse y para llegar a donde debe llegar a tiempo.

Llegar antes, en lugar de llegar tarde, sencillamente requiere cambiar la forma en la que planea las cosas. Eso significa sin excusas. ¡Mi madre, Dios la bendiga, frecuentemente llegaba dos horas tarde! Su excusa eran sus 7 hijos; sin embargo, yo también tenía 7 y mi ex esposo me requería llegar temprano. Si él decía que nos iríamos a las 7:30 AM significaba que estábamos saliendo de la casa a las 7:15 AM. Nosotros llegábamos a la iglesia más de media hora antes y esperábamos. Y mi ex esposo tampoco creía que él debía ayudar a tener a los niños listos o dentro del vehículo. Señoras, yo realmente tuve que buscar al Señor para obtener Su ayuda y no ser un espino al lado de mi esposo y así deben de hacerlo ustedes. Incluso si no están casadas, sus hijos o su jefe o su amiga, quienquiera que sea, ellos quieren saber que a usted le importa lo suficiente como para llegar a tiempo.

Aquí hay un listado de otra información que usted puede querer utilizar en su organizador:

Sección de los niños: Anote las tallas de ropa y zapatos, el peso y estatura actuales, los números del seguro social, los números de las cuentas de ahorro, las fechas de nacimiento, el tipo de sangre, y las alergias que padecen al lado del nombre de cada uno de ellos. ¡Y siempre utilice un lápiz! Periódicamente, actualice la información cuando usted se percate que la talla o el peso de su hijo han cambiado. Usted puede recordar verificar la estatura y el peso de forma regular utilizando una tarjeta verde de 3x5 (o mensualmente), de lo cual hablaremos en el capítulo siguiente.

Puede que usted piense que podrá recordar todo esto en su cabeza, ya que solo tiene un par de niños. Puede que usted sea capaz de hacerlo, pero que pasaría, Dios no lo quiera, si usted quedara incapacitada o falleciera de forma repentina. Esta información (y el método) serían invaluables para su esposo o para parientes tales como su madre o su suegra. Asegúrese de que las personas más cercanas a usted sepan que usted mantiene este tipo de información a la mano.

El peso es de utilidad especialmente con las medicinas. Aunque nosotros básicamente *nunca* vamos a donde el doctor, aun así a mí me gusta mantener escrita esta información. Usted también puede utilizar esto en su caja de memoria haciendo una nueva tarjeta cada vez que actualice la información (una vez más, los detalles los encontrará en el capítulo siguiente). Solo recuerde colocarle la fecha para que usted recuerde cuando fue que sus hijos tenían ese peso.

Para mi esposo, cuando estaba casada, yo anoté en la parte trasera de una tarjeta de negocios de color brillante los nombres de mis hijos, fechas de cumpleaños, y los números del seguro social para que él no tuviera que estarme preguntando al momento de llenar papelería. Él la ha mantenido en su billetera por años, ¡mis hijos recientemente me dijeron que él aun la conserva!

Sección del esposo: Si usted está casada, recuerde anotar la talla de ropa y de zapatos de su esposo, el número del seguro social, los números de cuentas de ahorro y monedas, los teléfonos de sus compañeros de trabajo, etc. Una vez más, esto no solo es información invaluable a la hora de una emergencia, sino que también es útil cuando usted encuentra ropa con descuento o si su suegra quiere comprarle algo a su esposo para su cumpleaños o navidad.

Direcciones. Cuando usted utilice la sección de direcciones de su organizador, una vez más, siempre escriba las direcciones con lápiz ya que nuestra sociedad es una que se muda con frecuencia. Si usted tiene una memoria pobre, usted puede llevar el record de un regalo, por ejemplo, cuando fue recibido bajo el nombre que corresponda (con la fecha) y cuando fue enviada la nota de "agradecimiento" (A). Yo comencé a hacer esto porque mi suegra le preguntaba a mi esposo si yo había recibido algo de alguien a quien yo realmente no conocía, y ella preguntaba además si yo les había agradecido, pero ya que se trataba de personas a quienes yo realmente no conocía, no podía recordarlo. Así que luego de orar, la solución fue mantener esta información para que pudiera revisar y verificar si de hecho yo había recibido el regalo y si había enviado la nota de agradecimiento.

Además, haga una anotación de las tarjetas navideñas (TN '07) recibidas y de la fecha en la que fueron enviadas por correo por la misma razón. Cuando yo recibo mis tarjetas navideñas, las mantengo dentro de sobres en una bolsa de regalo para poder revisar y actualizar mi agenda de direcciones (que ahora la mantengo en mi computadora) tan pronto que la locura de las fiestas pasa.

Lista de oraciones. Anote la fecha y la petición, dejando un espacio para la respuesta a la oración. ¿No le sucede que muchas personas le piden que ore por ellas, y usted dice que lo hará, pero usted falla en mantener su palabra? Este es un lugar para anotar la petición para que usted pueda ser una mujer que cumple su palabra.

Si es una petición de oración de largo plazo, yo hago una tarjeta de 3x5 y la incluyo junto con los montones por las cuales oramos durante nuestra reunión familiar de oración cada mañana. Tenemos una lista específica *Orar por los demás* que, **Alabado sea el Señor**, nunca han quedado sin respuesta. Si es una *Oración por la Salvación*, la colocamos en esa lista de tarjetas de oración y, a menudo, incluimos una imagen si la tenemos. La mayoría de los misioneros tienen tarjetas con su imagen que siempre usamos y las agregamos a la lista de *Orar por los Misioneros.*

Cuando mi sobrina de Japón se quedó en nuestro hogar y ella gloriosamente fue salvada, fue tan divertido mostrarle la fotografía de ella y de su familia que nosotros habíamos utilizado por años para orar a diario. Ella simplemente era una pequeña bebé y yo la estaba sosteniendo. La oración funciona, y también estas tarjetas como un método para recordarnos orar fielmente.

Sin embargo, en virtud de que a mí me solicitan orar acerca de muchas cosas, es necesario que yo lo escriba sin falta en mi organizador para luego poder orar fielmente por las peticiones cada mañana.

Consejo de oración. Cuando alguien se me acerca con "podría usted orar acerca de algo …" ¡yo comencé a tomar sus manos (a menos que fuera un hombre) y a orar justo en ese momento y lugar! Me dejó de importar lo que la gente pensara o donde me encontrara. Simplemente pensaba, "¿Por qué esperar para orar?" Lo que es divertido es que muchas de las personas que siempre corrían tras de mí para que orara acerca de algo, dejaron de hacerlo. Algunas veces creo que a los cristianos les gusta tener a otras personas orando por ellos, en lugar de orar por sí mismos, o muchas veces, es una forma de quejarse acerca de lo que están viviendo.

Yo realmente amo orar y para mí es un privilegio el poder hacerlo; sin embargo, al no utilizar un buen método, como orar por las personas en ese momento y lugar, agregarlo a la lista de mi organizador y después agregarlo a mis tarjetas de 3x5 que utilizamos para orar por la mañana, se convirtió en una carga en lugar de un privilegio. ¡Yo espero que uno o todos estos métodos le ayuden a encontrar el método que funcione para usted!

Aprenda el secreto de planear anticipadamente. ¡Haga su listado de **"cosas por hacer"** para el siguiente día, la noche antes! Utilice su organizador como un diario para las cosas que debe recordar, así como las cosas que *debe hacer.* De manera frecuente, especialmente mientras voy envejeciendo, yo olvido si hice algo o no lo hice. Cuando soy cuidadosa en escribir mi lista de qué-hacer en mi organizador y revisarla mientras voy haciendo todo, entonces yo puedo revisarla si mi memoria me falla. ¡Esto es especialmente útil si su esposo le ha pedido hacer algo! Y asegúrese de poner sus peticiones como su máxima prioridad.

Hacer su lista de qué hacer la noche anterior:

- Le ayudará a estar un paso adelante.

- Le ayudará a dormir mejor.

- Le ayudará a recordar si usted ya hizo algo.

- ¡Y, si usted está casada, le ayudará a ser una mejor esposa al poner las peticiones de su esposo en el lugar número uno de su lista y al tratarlas con "prioridad"!

La forma correcta de hacer una lista

¡La forma correcta de hacer una lista es simple y funciona! Muchas personas tratan de hacer una lista en el orden de las cosas que necesitan hacer primero. Sin embargo, con cualquier tipo de escritura (y gracias a Dios por las computadoras), la forma de escribir un libro o una lista es sacar las ideas de su cabeza y anotarlas en papel, y luego organizarlas.

Intente esto: cuando usted haga una lista la noche anterior, o en cualquier ocasión en la que vaya a hacer mandados, escriba todo aquello que usted pueda pensar *mientras lo vaya pensando*. Entonces cuando su lista ya esté hecha, ennumere todo de acuerdo a su importancia (¡recuerde que si está casada, debe asegurarse que las peticiones de su esposo vayan primero!)

Si es una lista de mandados que hacer, cuando ya haya escrito todos los lugares a los que necesita ir, regrese y revise su lista para determinar su primera parada. Podría ser el lugar más cercano o el lugar más lejano, y luego ir haciendo cada uno en su camino de regreso a casa. ¡Yo le enseñé esto a mi esposo cuando estaba casada (no enseñándole propiamente, sino a través de ejemplos, ya que yo hacía listas para él) y también a mis hijos, a quienes sí les enseño!

Si usted tiene un mapa, puede ser útil buscar una ruta para su camino, especialmente si usted no tiene un buen sentido de dirección. Yo tengo un mapa en mi mente (¡aunque yo lamentablemente no tengo absolutamente ningún sentido del tiempo!) y ver un mapa me ha ayudado a encontrar la ruta más corta a determinado lugar. Me di cuenta que la ruta que yo normalmente tomaba era claramente más larga que la que el mapa mostraba. Trabajar con un mapa también es una cuestión maravillosa para enseñarles a sus hijos, ya sea que usted los esté educando en casa o no.

Si algunas de sus paradas son citas que tienen una hora específica, entonces apunte la hora, en lugar del número a la par de ellas. Luego, yo trato de llegar a esa parte de la ciudad para estar a tiempo en la cita (previendo unos 20 o 30 minutos extra por aquello de que quede atrapada en el tráfico o me toque un cajero lento en una parada previa).

A no ser que tenga que hacer menos de tres paradas, cada vez que me subo al carro, yo escribo cada una de ellas en el orden que lo recuerdo en un pequeño artefacto que se pega a la ventana de enfrente del carro. Usted puede encontrar estas pequeñas gemas en la sección de vehículos de Wal-Mart. Traen un bloc de papel con un lapicero y unas ventosas para mantenerlo pegado al parabrisas. Todos nuestros vehículos los tienen. ¡Recientemente comencé a utilizar notitas pegajosas y estas funcionan mucho mejor!

Una vez que he anotado cada parada, después yo las ennumero de acuerdo a la primera parada, hasta la última. Cuando estaba casada, mi esposo simplemente amaba este método, ya que era él quien usualmente manejaba. ¡Yo lo amaba porque yo no quería tener que decirle a donde debíamos ir después! A mí nunca me ha gustado escuchar a las mujeres decirle a sus esposos lo que deben hacer. Hace que una mujer sea mandona y que su esposo sea dominado por ella y por ende se convierta en un amargado, ¡no es un buen ejemplo para mis hijas tampoco!

Pruebe este método usted misma y no olvide enseñárselo a sus hijos.

--- Capítulo 7 ---

Sacando el mayor provecho de

El método adecuado

Las tareas a mano

Examinemos nuestros caminos y
escudriñémoslos, y volvamos al SEÑOR.
—Lam. 3:40

La mayoría de las mujeres no tienen un verdadero *plan* para mantener sus hogares limpios y ordenados. Ellas simplemente miran un problema; así que eventualmente, ellas comienzan a hacer algo al respecto (¡y algunas veces nunca lo hacen!) A pesar de todo, las mujeres en el pasado tenían una forma muy organizada de mantener sus hogares limpios y ordenados. Era algo que ellas aprendieron a hacer cuando eran jovencitas

El método: tarjetas de tareas/quehaceres

Cuando estaba recién casada, no tenía ni idea de cómo tener una rutina que incorporara en mí día, semana y mes, todas las tareas de limpieza, lavado de ropa, cocina, compras, planchado, etc. Yo nunca había sido capacitada para ello ni lo había observado, tal y como lo mencioné anteriormente en el libro.

Usted puede o no estar en este estado desesperado, pero muy pocas manejan un buen hogar en estos días (tal y como yo lo he observado cuando he visitado hogares). Este método pueda ya sea ayudarle a hacer lo que no ha podido hacer, o llevarla a un nivel más alto, todo con tan solo un poco de inversión de tiempo.

Suministros: Para comenzar, reúna estos artículos de una tienda de suministros de oficina. Usted necesitará:

1. Un paquete de tarjetas de 3x5 de cada color: blanco, azul, amarillo, verde y rosado.
2. Un archivo de tarjetas de 3x5.
3. 3 juegos de divisores:
    a. Números 1-31 (para representar los días del mes).
    b. Tarjetas mensuales (de enero a diciembre).
    c. Y divisores extra de color blanco.
4. Clips para papel o ganchos para ropa grandes y de colores.
5. Porta tarjetas plástico vertical.

¡Lo que usted hará es realizar una "lista de quehaceres" que una vez hecha, puede durar por años! Cada mañana, mis hijos y yo comenzamos nuestro día tomando nuestro fajo de tarjetas multicolores de 3x5 que están unidas por medio de un clip y a la espera dentro de una carpeta. En el fajo hay tarjetas multicolores indicando la frecuencia con la cual son utilizadas. Por ejemplo, en nuestro hogar utilizamos el azul para algo que hay que hacer a diario, el amarillo para algo que hay que hacer semanalmente y el verde para algo que hay que realizar mensualmente.

¿Por qué este método es mejor que el de la lista de verificación o la pizarra de tareas?

Estos métodos pueden funcionar, pero el método que yo he utilizado desde 1982 es uno que usted no tiene que hacer y rehacer una y otra vez. No solo dura por años, sino que además es flexible. Las tareas o quehaceres pueden ser cambiados de algo que usted hace, a algo que su hijo hace, y luego ser trasladadas a un hermano menor simplemente al cambiar la letra inicial en la tarjeta. Este método es flexible ya que puede ser realizado hoy o esperar hasta la siguiente semana si usted o su hijo están enfermos o de vacaciones. Yo creo que un método no debería controlarla a usted, sino que usted debe ser capaz de tener el control de su sistema.

Fácilmente puede ser revisado para cambiar el hacer una tarea a diario, a realizarla semanalmente y también tiene un método fácil para darle seguimiento de manera que pueda asegurarse de que la tarea o el quehacer se realicen. Las listas de verificación pueden funcionar, pero la desventaja es que usted tiene que hacer nuevas cada vez que ya están llenas o usted tiene que revisarlas.

Así que si usted está lista, comencemos.

Comenzando. En tarjeta blanca superior usted simplemente escriba el nombre de cada persona con un recordatorio de oración para comenzar el día. Con niños pequeños que aún no pueden leer, yo siempre he dibujado una figura de palitos de un niño o niña arrodillada, con su cabeza inclinada y con sus manos dobladas. ¡Solo para corroborar mi punto acerca de que las tarjetas funcionan por años, la semana pasada me percaté de que mi hijo de 13 años y mi hija de 11 años todavía tenían la pequeña figura de palitos orando en su primera tarjeta!

Luego de que cada persona ora, debe colocar *esa* tarjeta al final del mazo e ir a su siguiente tarjeta, que podría ser tender su cama o una tarea de higiene personal (ver abajo). Mi siguiente tarjeta podría ser "Comenzar a lavar la ropa," mientras que la de los niños podría ser "Escuchar la grabación de Memoria Bíblica mientras tiende la cama." Si su hijo va a la escuela, usted puede hacer una tarjeta "Traer la mochila a la puerta principal," seguida de "Tomar el desayuno," y finalmente, "Subir al autobús escolar, salir de la casa a las 7:45".

Las tarjetas de 3x5 no son solamente para quehaceres, sino para incorporar todo lo que usted encuentre que tiene que decirles a sus hijos que hagan (o usted haga una lista de qué hacer para usted) diaria, semanal o mensualmente.

Para hacerlo más fácil, cada tarjeta tiene un código de color: azul es para una tarea diaria, amarillo es para una tarea semanal y verde es para una tarea mensual. Blanco (su tarjeta de oración) va hasta arriba y la tarjeta rosada es la última tarjeta que dice, "¡Terminado!" La meta diaria o, mejor aún, el *requerimiento* diario es hacer cada tarea, una por una, hasta que todas las tarjetas estén terminadas y ¡la tarjeta rosada de "terminado" esté en la parte superior!

Años atrás, llamábamos a estas tarjetas "tarjetas de quehaceres." Sin embargo, si yo pudiera hacer que este método permaneciera, yo preferiría llamarlas "tarjetas de tareas", ya que la definición de "quehacer" es una tarea *desagradable*. Yo preferiría que las cosas con las cuales contribuimos para nuestra familia o con las cuales cuidamos de nosotros mismos no se piensen como algo *desagradable*.

¿Así que como obtiene usted este mazo de tarjetas? Primero, una vez más, haga una primera tarjeta con el nombre de la persona en ella para recordarse de comenzar el día con la ayuda del Señor porque *"separados de mí nada podéis hacer" (Juan 15:5)*. *"Reconócelo en todos tus caminos, y El enderezará tus sendas" (Prov. 3:6)*. Cualquiera de estos versículos también puede estar en la primera tarjeta como un recordatorio de en quién debe apoyarse. A continuación, usted comience con tareas que usted haga **diariamente.**

Las tarjetas azules son tareas *diarias*

Mientras vaya realizando su rutina cada día, escriba cada tarea que usted realice: esto significa cualquier cosa que *usted* haga o le *diga* a sus hijos que hagan de manera diaria. Escriba cada tarea en una tarjeta azul por separado. Todo lo que usted haga *a diario* siempre estará en una tarjeta *azul.*

Algunas cosas que yo hago (o que los niños hacen) son por hábito; por lo tanto, no es necesario hacerles una tarjeta. Sin embargo, yo constantemente las escribo de todas maneras para que mis hijos o yo podamos organizar nuestras tarjetas y aprender a hacer nuestras tareas en un orden en particular. Esto es útil cuando mi rutina es interrumpida. Yo fácilmente puedo ver que es lo que necesito hacer *después* al revisar mis tarjetas. Algunas encuentran que revisar una tarea en una "lista de quehaceres" es motivador. ¡Este sentimiento vigorizador también se alcanza cuando usted pone las tarjetas de las tareas que ya ha realizado atrás de su tarjeta rosada de terminado!

Como lo mencioné anteriormente, yo comencé a utilizar este sistema para mí misma (cuando mis hijos eran niñitos) para que yo pudiera tener un tipo de método (sin tener que hacer a diario listas de qué hacer o tablas que necesitaran ser cambiadas o hechas de nuevo) para ayudarme a mantenerme al día con mis obligaciones del hogar. Después, cuando mis hijos fueron lo suficientemente grandes (aproximadamente 5 años), yo comencé a utilizar el método de las tarjetas de 3x5 con ellos para no tener que mantenerme diciéndoles las mismas cosas una tras otra vez.

Este método de 3x5 continúa liberándome de tener que usar mi tiempo tratando de que mis hijos hagan lo que tienen que hacer. Este tiempo libre se logra no al trabajar más duro, sino que de forma más inteligente y eficiente, en lugar de trabajar con mayor esfuerzo. Esto significa que usted puede lograr más en menos tiempo. Además, con el tiempo extra usted puede añadir más a su vida, ya sea hacer más o usar un poco para no hacer nada, haciendo tiempo para relajarse. Al darle seguimiento y revisar para ver que su tarjeta rosada de "terminado" esté hasta arriba, yo también estoy asegurándome que lo que yo le he pedido a mis hijos esté hecho.

Haciendo sus tarjetas

Yo soy el tipo de persona al que le encanta hacer listas y organizar cosas. Luego de hablarle a muchos grupos acerca de mi sistema de 3x5, algunas almas valientes me dijeron muy francamente que ellas no podrían hacer este tipo de cosa. Así que tuve que pedirle a Dios que me ayudara a crear este método para que todo el mundo lo utilice.

¡Bueno, Dios siempre es fiel! Muy pronto yo estaba tan ocupada con el ministerio como para poder "sentarme" y pensar en otra cosa. ¡Fue allí cuando el Señor me mostró el método más simple para hacer las tarjetas!

Yo encontré que la forma más *sencilla* de hacer tarjetas es hacerlas mientras va realizando las tareas. Cada vez que usted haga algo que necesita hacer, o que usted le diga a sus hijos que hagan, entonces tome una tarjeta y escriba en ella la tarea correspondiente.

1. Decida *qué tan frecuentemente* se debe realizar la tarea: diaria, semanal o mensualmente. Escriba la tarea en una tarjeta azul para algo que debe realizarse a diario, amarillo si es semanal y verde si es mensual.

2. Si usted tiene niños, decida **quién** *podría* hacer la tarea. Comience con el menor de la familia y vaya escalando; luego, escriba sus iniciales o su nombre en la esquina *superior* **derecha** de la tarjeta.

3. Decida **cuándo** o que día de la semana o del mes la tarea necesita ser realizada, y escriba eso en la esquina *superior* **izquierda** de la tarjeta.

Seamos un poco más específicas a la hora de hacer una tarjeta de tareas. En cada tarjeta:

Escriba la letra inicial de la persona en la esquina superior *derecha.* Yo tengo dos hijos cuyos nombres comienzan con la letra "T." Así que el mayor tiene la letra "T" mayúscula y el más joven tiene la letra "t" minúscula. (Si todos sus nombres comienzan con la misma letra, dele a cada niño un número de acuerdo al orden de su nacimiento.) Mi hija más joven tiene un nombre que comienza con la letra "M", así que mis tarjetas de "Mamá" están escritas en letra cursiva y las de mi hija con una "M" impresa.

Las tarjetas azules *diarias siempre* se mantienen con un clip o gancho de ropa. Las otras tarjetas de colores (amarillo y verde, las cuales veremos más adelante) entran y salen del grupo de tarjetas, pero las azules *siempre* se mantienen en el grupo.

Cómo designar quien realizará el trabajo: Yo decido quién es el niño más pequeño con la capacidad de hacer el trabajo. (Siempre comience desde abajo, con el niño más pequeño, y vaya escalando desde allí.) La mayoría de mamás comienzan con el hijo mayor y lo sobrecargan. Y si se casan, de manera frecuente escogerán tener pocos hijos o ninguno. Las tareas en el hogar comienzan alrededor de los cuatro o cinco años. Antes de esa edad, usted gastará más energías en lograr que ellos las hagan y que las hagan de la forma apropiada.

Mientras escala desde el niño más pequeño hasta el mayor, *usted* se quedará con las tareas que nadie más es capaz de realizar. Además, usted será la entrenadora *inicial* y generalmente la supervisora de las tareas (para asegurarse que el trabajo se realice y que sea de la manera adecuada). No espere que sus hijos hagan sus tareas o que las hagan bien si usted no les da seguimiento.

Esto también comprende la belleza de este sistema. Cada día, usted debe poner las tarjetas de ese día en el mazo cuando se percate de que la tarjeta rosada está hasta arriba. Esto le dice si hicieron o no la tarea. Después en el principio, y periódicamente, usted simplemente debería echar un vistazo para asegurarse de que ellos hicieron la tarea de forma adecuada. El niño puede necesitar mayor orientación. O puede ser que sea muy pequeño como para realizar la tarea, y necesite ser trasladada a uno de los hijos mayores o a su persona.

Una de las preguntas más frecuentes acerca de mi sistema es en relación al cambio de las tareas. ¡Mis hijos mantienen sus tareas durante años! La única manera en la que dejan de hacer alguna es cuando veo que puedo delegar algo que **yo hago** a uno de mis hijos. Cuando delego mi tarea, entonces delego una de sus tareas y así en adelante. ¡Cuando un niño pequeño se vuelve lo suficientemente grande como para tener mayores responsabilidades, yo busco al niño anterior a él en edad y le quito algunas de sus tareas más fáciles y trabajo escalando desde allí hasta llegar a mi persona!

Cuando una tarea es pasada de un hermano a otro, el niño mayor le enseña al menor a hacerla de forma adecuada. ¡El incentivo de enseñarle al hermano menor es que la tarea no tenga que ser realizada por ellos nuevamente! Con frecuencia, yo reviso la tarea por mí misma solo para asegurarme de que se esté realizando adecuadamente.

Ahora, con un gran sistema como este que realmente funciona, usted puede ver por qué yo no tengo tareas para mi persona en realidad (¡y por qué de verdad creo que los niños son bendiciones!) Si más madres instruyeran a sus hijos como debieran, ustedes definitivamente verían *más* familias grandes. Sin embargo, la mayoría de las familias mantienen a sus hijos como pasivos y no activos. Ellos los atienden con actividades externas, y esperan de ellos como si fuesen *sus* sirvientes. Los niños no son felices, sino que además tienen una "mala actitud" y son miserables. Esto luego repercute en sus matrimonios (un matrimonio que dura menos de un año), y están de vuelta en casa. ¡Madres, tómense el tiempo de instruir a sus hijos, todos serán más felices debido a que ustedes lo hicieron!

Las tarjetas azules son tareas *diarias*

Más de una vez a la semana y menos que a diario. Cuando usted tiene algo que necesita ser realizado dos veces a la semana, como los martes y los jueves, utilice una **tarjeta** *azul* y colóquele "M y J" en la esquina *superior izquierda*. Si necesita ser realizado tres veces a la semana, como lunes, miércoles y viernes, entonces escriba "L, M, V" en la esquina *superior izquierda* de la tarjeta. Cuando tiene que ser realizado todos los días laborales yo escribo "L-V" en la esquina superior izquierda. Me gusta utilizar lápiz cuando selecciono el día e incluso al niño, ya que de manera frecuente debe ser modificado.

Yo si cambio tareas cuando no son realizadas adecuadamente. Usted puede pensar que un niño es capaz de realizar una tarea, pero incluso después de instruirlo, no la realiza adecuadamente. Por supuesto, cuando se trabaja con niños, usted debe bajar sus expectativas un poco. Pero es mejor tener a sus hijos como ayuda (y tal vez solo ayudarlos a que se perfeccionen un poco) que descuidar el instruirlos.

Ejemplos de tarjetas

Tender la cama sería una tarjeta azul ya que es algo que se hace *a diario*. No obstante, si usted o sus hijos son instruidos para tender su cama al no más salir de ella, él, ella o usted no necesitarán hacer una tarjeta para esta tarea. Sin embargo, ya que muchos hogares tienen camas deshechas día tras día, es más que probable que esta sea una tarea que usted quiera incluir dentro de sus tarjetas.

Higiene personal es otra tarea diaria que usualmente es descuidada por los niños. Tristemente, de manera frecuente es descuidada por muchas madres que tienen la bendición de poder quedarse en casa. Por lo tanto, la higiene personal sería una tarjeta de 3x5 que usted querrá incluir en las tarjetas *azules* diarias. Déjeme salir del tema de la organización y enfocarme en su apariencia. Muchas sin saberlo, destruyen sus hogares por la falta de cuidado en su apariencia. Los esposos salen de casa y muy frecuentemente se encuentran en el trabajo con mujeres que se han bañado, se han maquillado y están utilizando ropa bonita, no una bata de baño.

Luego por qué nos sorprendemos cuando nuestros esposos llegan a casa un día a decirnos que han encontrado a alguien más, 9 veces de 10 es en su lugar de trabajo. Para aquellas de ustedes cuyo esposo no trabaja con mujeres atractivas, ellas están por todos lados cuando su esposo sale de casa: donde el almuerza, la vecina, o su mejor amiga. No solo estas mujeres se ven y huelen mejor que usted cuando él sale de casa, sino que además son muy agradables. Ellas escuchan las frustraciones de su esposo, las cuales usualmente son acerca de usted, y ellas se compadecen. Ellas pueden escuchar y compartir sus sueños, tal y como usted lo hacía antes de que se casaran. Pero en algún punto, desde su matrimonio, usted ha cambiado su entusiasmo por crítica mientras derriba a su marido.

Querida esposa y/o madre, comience una rutina de verse lo mejor posible *antes* de que su esposo salga de casa. Si su esposo no está en casa en este momento, comience a trabajar en esta rutina y le garantizo que Dios lo traerá cerca para que pueda verla bien. Sin embargo, la belleza es superficial. "Engañosa es la gracia y **vana** la **belleza**, *pero* la mujer que teme al SEÑOR, esa será alabada" (Proverbios 31:30). Así que antes de que se concentre en limpiar y embellecer el exterior, usted querrá obtener *Una Mujer Sabia* y comenzar con el interior. (Este libro de trabajo está disponible GRATIS en nuestra página web).

Ahora de regreso con nuestra organización *diaria.* En esta tarjeta *azul* de higiene personal usted querrá incluir lo que su hijo debe hacer, como por ejemplo:

1. Vestirse.
2. Arreglar su cabello.
3. Cepillar sus dientes.
4. Ponerse desodorante para los adolescentes y preadolescentes. (Ver el capítulo 15 para una opción de desodorante maravillosa, y sin tóxicos).
5. Y quizás concluir con: "Tender la cama" en lugar de incluirlo en una tarjeta separada.

Básicamente, usted hará una tarjeta por cada tarea que normalmente les dice a sus hijos que hagan cada mañana, o una tarjeta para _usted_ que necesite incluir en su rutina de la mañana (para que usted pueda organizar mejor su tiempo o retomar su rutina cuando sea interrumpida).

Si usted es una esposa o madre que trabaja fuera del hogar, usted verá que al utilizar las tarjetas (e instruir a sus hijos a utilizarlas para arreglarse en las mañanas), habrá menos caos y estrés. Su trabajo será entrenarse a sí misma para utilizarlas, añadiéndoles mientras vea algo que está haciendo para que no se le olvide, o añadiéndoles algo nuevo con el tiempo que se está ahorrando al trabajar de manera más eficiente. Inclusive una tarjeta de monitorear a los niños, o levantarlos a una hora en particular (aunque yo creo en los despertadores para los niños si usted constantemente está en una crisis de tiempo) le ahorrará tiempo y le ayudará a que su mañana transcurra más tranquila.

Ya que yo he delegado la mayor parte de mis responsabilidades del hogar a mis hijos (aunque yo acostumbraba hacerlas _todas yo sola_ antes de que tuviera hijos e incluso cuando mis hijos eran demasiado pequeños para ayudarme), cuando estaba tratando de darle ejemplos de lo que hago cada día para ayudarle a comenzar a hacer sus tarjetas, ¡me percaté de que no tenía ninguna que compartir!

Las mujeres usualmente me dicen que si tuvieran tanta ayuda como yo la tengo ellas serían capaces de tener todo su trabajo hecho. No realmente. Requiere de organización y de hacer el trabajo usted misma antes de que consiga ascender a gerencia. ¡No fue sino hasta que tuve a cuatro pequeños debajo de los pies que fui capaz de incluso empezar a delegar cualquier cosa! Y cuando usted le está enseñando a niños, realmente toma mayor esfuerzo y más tiempo al inicio (que es la razón por la cual muchas madres ni siquiera quieren tomarse la molestia). Sin embargo, su tiempo, esfuerzo, y paciencia le traerá grandes beneficios para el futuro. Yo digo en tono de broma (pero honestamente) que yo podría morir y mi hogar seguiría funcionando sin problemas gracias a este sistema.

Aunque no morí, pude viajar alrededor del mundo tres veces este año que acaba de passar, el viaje más largo fue un tour de cinco semanas. Yo no tuve que hacer nada, ni una sola cosa, para preparar mi hogar o a mis hijos para mi partida. ¡La casa no estaba exactamente de la manera que está cuando yo me encuentro en ella, pero mi ex esposo llegó de visita y dijo que lo estaba! Cada una de nosotras mira cosas que otros no ven, pero cuando puedes engañar a un ex esposo, ¡las cosas han estado funcionando bien!

Cuando usted descubra una tarea que no necesite ser realizada a diario, entonces comenzará a hacer tarjetas semanales, que son de color amarillo.

Las tarjetas amarillas son tareas *semanales*

Mientras desempeña su rutina diaria, usted se dará cuenta que hay algunas cosas que no necesitan realizarse a diario; por lo tanto, usted las realizará semanalmente. Escriba cada tarea *semanal* en una tarjeta *amarilla* separada. Por ejemplo, "sacudir las persianas de la cocina" estará en una tarjeta amarilla si usted lo hace una vez a la semana.

Cuando usted comience a organizar su vida y a instruir a sus hijos para hacer lo que usted solía decirles que hicieran una y otra vez mientras andaba tras ellos, entonces usted comenzará a darse cuenta de otras cosas que necesitan realizarse, pero simplemente no de forma tan frecuente. Puede comenzar como una tarjeta azul de tarea diaria, pero al darse cuenta que se ha mantenido, será suficiente hacerlo tan solo un par de veces a la semana.

Anteriormente mencioné que utilizaba una tarjeta azul con L-M-V o M y J, cuando la tarea necesitaba realizarse dos o tres veces a la semana. Este es el primer paso para modificar la tarea para que se realice de manera menos frecuente. La otra variación es utilizar una tarjeta amarilla con solo "Lun." en la esquina superior izquierda, luego otra con "Jue." por ejemplo. Haga lo que funcione con sus hijos y/o lo que tenga sentido para usted.

Ya que las tarjetas amarillas no se utilizan a diario, sino que solamente de manera semanal, al final del día se remueven y se colocan en el mismo día para la semana siguiente. Por ejemplo, hoy es miércoles 16, entonces al finalizar el miércoles yo tomaré todas las tarjetas amarillas de debajo de cada tarjeta de "realizado", y las colocaré en mi archivo de tarjetas para el siguiente miércoles justo frente al día 23.

Cada día cuando alisto las tarjetas de la familia, yo sacó las tarjetas amarillas semanales y las tarjetas verdes mensuales. Luego las coloco de regreso en el archivo de tarjetas de 3x5. Solo las tarjetas azules diarias permanecen en el grupo.

Para aquellas tareas que solo necesitan ser realizadas mensualmente, usted utilizará tarjetas de 3x5 color verde.

Las tarjetas verdes son tareas *mensuales*

Cuando usted desempeñe su rutina diaria y semanal y las cosas se vuelvan más organizadas, usted se dará cuenta que hay tareas que necesitan ser realizadas, pero diaria y semanalmente es demasiado frecuente; por lo tanto, usted escribirá este tipo de tareas en una tarjeta verde mensual.

Un buen ejemplo es limpiar la parte superior de su refrigerador. De repente usted se da cuenta que es un desastre, y ya que ha estado así durante meses, una tarjeta verde de una-vez-al-mes será perfecta. Así que yo decido quien debería hacerlo, le digo que lo haga, y luego hago una tarjeta para ese día. Por ejemplo, si hoy fuera el día 20, eso iría en la esquina superior izquierda de la tarjeta verde.

Otro ejemplo podría ser una tarjeta verde de cambiar-las-sábanas. Aunque sé que algunas familias lavan las sábanas semanalmente, hay muchos hogares en donde se hace una vez al mes.

Si usted tiene muchas sábanas como yo, trate de espaciar el lavado de las sábanas durante el mes, haciéndolo una habitación a la vez, y hágalo en un día que no sea de lavar ropa. (Yo explicaré más acerca de las maneras en las que puede organizar y simplificar su lavado de ropa en el Capítulo 13: "Mis Mejores Consejos sobre Lavado").

Para recordar esa habitación, yo hice una tarjeta de 3x5 fluorescente con las instrucciones "Cambiar las Sábanas" y la pongo en las tarjetas de mi quinto hijo el día antes de que yo lave las sábanas.

Luego Tara pone la tarjeta fluorescente en la habitación de esa persona enfrente de su despertador. En la mañana, ese niño (o yo) no tendemos la cama, sino que la deshacemos y colocamos sábanas limpias.

Yo mantengo un segundo juego de sábanas dentro de una bolsa transparente con zipper (de esas en las que vienen las sábanas, las frazadas y los edredones). Luego de que la cama es tendida, la tarjeta fluorescente es colocada dentro de la bolsa transparente *y* las sábanas sucias llevadas a la lavandería. Cuando las sábanas son lavadas, se colocan dentro de la bolsa transparente y luego en el closet del niño, y yo pongo la tarjeta fluorescente en ese mismo día del mes. (Por ejemplo, si hoy fuera el día 10, entonces la colocaría enfrente del día 10 del siguiente mes).

Para resumir mi sistema de tarjetas de 3x5

El día de la semana siempre se escribe en la esquina superior *izquierda*. Escriba el día en el que la tarea debe ser realizada en la tarjeta azul *diaria,* amarilla *semanal*, o verde *mensual.*

Etiquetar: Para designar qué niño, qué día y cualquier otra especificación en cada tarjeta, yo le recomiendo lo siguiente:

Tarjetas azules: En una **tarjeta azul *diaria*** usted querrá que la tarea se realice de L-V o solo Lun., Mier., Vier. o solo Mar. y Jue. Escriba esto en la esquina superior **izquierda.**

Tarjetas amarillas: En su **tarjeta amarilla *semanal,*** usted tendrá cualquier tarea semanal. Escriba Lun., Mar., **o** Mier. Escriba esto en la esquina superior **izquierda** y mantenga esto en el archivador de las tarjetas de 3x5 en el siguiente Lun., Mar., o cualquier día que la tarea se realizará la siguiente semana.

Tarjetas verdes: En una **tarjeta verde *mensual,*** usted escribirá el día de la semana tal como el 1, 15 o 24, etc. Escriba esto en la esquina superior **izquierda** y mantenga esto en el archivador de tarjetas de 3x5 en el día del mes: el 1, el 15, 24, o cualquier día de la semana que la tarea se realizará el siguiente mes.

Una vez más: Comience por pensar acerca de qué le dirá a sus hijos cada mañana, una y otra vez, comenzando desde que ellos se levantan. Escriba lo que usted usualmente repite una y otra vez en una tarjeta *azul*. Si usted tiene una lista de tareas que ha estado usando, escriba cada tarea en una tarjeta azul *diaria* separada.

Por ejemplo: Tender la cama y limpiar la habitación seguramente estarían en una tarjeta azul *diaria*. Restregar el inodoro o el lavabos probablemente estarían en una tarjeta amarillo *semanal*. Limpiar la parte superior de la refrigeradora o limpiar la gaveta de la chatarra probablemente estarían en una tarjeta verde *mensual*.

Sea específica: Usted puede escribir la explicación acerca de cómo debe realizarse la tarea; por ejemplo "vestirse", usted escribiría "por favor revisar con mamá lo que debo vestir" (si este es un problema que tiene con uno de los niños en particular).

¿Aún no puede leer? Si sus hijos son muy pequeños para leer, usted simplemente puede dibujar figuras de palitos para mostrarles la tarea recortar dibujos de una revista.

¿Puede explicar lo que hace con mayor detalle?

Para tareas semanales, las divido en trabajos *fáciles*. En vez de martes, limpiar los baños; escriba "Lun. Juan limpia los lavabos," "Mar. Bob limpia los inodoros (ya que él es quien los ensucia)", "Mier. Tom restriega la bañera (y hazlo luego de *tu ducha* mientras aún estás en ella y aún mojado), y Juev. Cindy y Sue limpien los pisos del baño (la mayor lava y la menor seca), y Julia limpia los espejos (por lo general ella es quien pasa viéndose en ellos)."

Divida estas tareas entre sus hijos dependiendo de sus edades y de su habilidad. Divídalas para repartir el trabajo durante los días entre semana si usted es una madre que se queda en casa. Para aquellas que trabajan fuera del hogar, deben determinar si se trata de una tarea que ellos pueden hacer luego de que regresen de la escuela. Esto hace que sea posible limpiar solo el lavabos, versus el baño completo, sin tener que hacer todas las tareas del hogar los días sábados.

Si usted está realizando las tareas por su cuenta porque sus hijos ya han crecido o porque usted aún está esperando que Dios la bendiga con hijos, entonces aún es sabio que separe las tareas. Si usted tiene más de un baño, haga ambos inodoros o todos sus lavabos (incluido el de la cocina) y todos los pisos en el mismo día. Es más fácil y rápido realizar la misma tarea en diferentes ubicaciones, en lugar de hacer los inodoros, el lavabo, el piso, y después el espejo. ¿Cómo lo sé?

Años antes del ministerio, éramos propietarios de un servicio de criadas en California. Era mi trabajo instruir a las mujeres que mi esposo contrataba. Yo las instruía para hacer el mismo trabajo (todos los lavabos o todos los inodoros) para ayudarlas a aprovechar su tiempo en cada hogar e incluso cuando trabajan con otras criadas.

Tareas de una-vez-al-mes o cada-otra-semana: Utilice una tarjeta verde *mensual.* Cuando yo veo algo que necesita realizarse no una vez a la semana, sino cada otra semana, entonces hago una tarjeta verde *mensual* tal como "limpiar las huellas dactilares de las puertas alrededor de toda la casa (a la altura de niños)".

Por *años* yo tuve una tarjeta verde para los cortes de cabello de los chicos. Antes de que hiciera la tarjeta, yo solía esperar a que todos comenzarán a verse algo despeinados. Pero una vez que establecí este método de incluir los cortes de cabello en una tarjeta verde *mensual,* fui capaz de mantenerles ese aspecto limpio y cuidado cortándoles el cabello cada mes. El adiestrar a los niños ha traído cuenta, ya que ahora mi tercer hijo es quien le corta el cabello a todos en la familia, excepto a mí. Yo aún me corto y tiño mi propio cabello, lo cual ha sido muy conveniente ahora que viajo de forma tan frecuente y por periodos tan largos. ¡Sencillamente cargo conmigo unas tijeras y tinte para el cabello!

Cada vez que me percato de algo desorganizado o sucio (tal como un closet en particular o la refrigeradora), yo lo incluyo en una tarjeta verde *mensual* de 3x5. Cuando usted hace algo que únicamente debe ser realizado una vez al mes, use una tarjeta verde, coloque la fecha de hoy (numere únicamente, es decir, el 16) en la esquina superior *izquierda.* Si es una tarea de dos-veces-al-mes añádale 14 días a la fecha (es decir, 16 más dos semanas, o 14 días, sería el día 30).

Si una tarea cae en un día inconveniente (un fin de semana, cumpleaños, o lo que sea), simplemente córralo al siguiente día que le resulte conveniente. Cuando usted esté guardando la tarjeta de regreso en el archivo de tarjetas, colóquela enfrente del día correcto señalado en la esquina superior izquierda de la tarjeta, no en el día en el que usted finalmente realizó la tarea.

Otra nota. Es mejor "mantener" la limpieza que atacar un desastre. Si usted limpia las repisas de la refrigeradora los martes, y limpia la puerta (por dentro y por fuera) los viernes, usted no tendrá que limpiar por completo su refrigeradora cada mes. Nosotros nos comemos la comida sobrante el día antes del cual yo hago las compras del supermercado. (Cree su propio bar de comida). Cuando toda la comida se ha terminado, yo puedo limpiar fácilmente las repisas para mantener la limpieza, en lugar de tener que limpiar profundamente la refrigeradora de forma frecuente. Esto sucede de la misma manera cuando ordeno las frituras, los panes y los postres. Cualquier cosa que no nos comemos se tira a la basura, o cuando vivíamos en la granja se la dábamos a nuestros animales, y ahora a mi hijo mayor, quien ama poder seguir trabajando ya que tiene algo que puede calentar en el microondas.

Cómo utilizar su archivo de tarjetas y el sistema

Tal y como lo mencioné cuando comenzamos, cada miembro de la familia que participa en este sistema tiene un fajo de tarjetas azules diarias que se mantiene unido por un gancho para ropa o un clip para papel grande y de color. Cada niño (y usted) tiene un clip para papel de diferente color para ayudarle a identificar sus tarjetas fácilmente. O usted puede utilizar ganchos para ropa de colores o escribir su nombre en un clip de madera. (Ya que yo utilizo mis mismas tarjetas *durante años,* los clips para papel comenzaron a desgastar la parte superior de las tarjetas. Allí fue cuando comencé a utilizar ganchos para ropa).

Cada mañana. A primera hora de la mañana (o la noche anterior) mire las iniciales y coloque los conjuntos de tarjetas azules *diarias* (que están unidos por un clip) en el mostrador de la cocina o escritorio, de izquierda a derecha, del mayor al menor miembro de su familia.

Luego, tome las tarjetas amarillas *semanales* y las tarjetas verdes *mensuales* que estarán enfrente de su archivo de tarjetas con la fecha de hoy (por ejemplo, el día 14). En su archivo de tarjetas, la fecha de hoy estaría enfrente con todas las tarjetas amarillas *semanales* y con las tarjetas verdes *mensuales* que usted le entregará a cada miembro de la familia. En otras palabras, si hoy es el día 24, ese fajo de tarjetas amarillas y verdes estará enfrente del número 24. Usted las sacará y las colocará en cada fajo de tarjetas azules *diarias* (que están unidas con un clip).

Al frente del fajo de tarjetas azules *diarias* de cada persona, usted debería tener una tarjeta **blanca** o fluorescente con su nombre en ella. Esta, nosotros la utilizamos como una tarjeta de oración que enumera peticiones, que puede incluir la salvación de sus amigos y familia. O usted puede escribir en una tarjeta una pequeña oración para que su hijo comience su día. Con mis hijas, yo escribo el versículo que hace relación a tener un "espíritu suave y apacible, el cual es precioso ante los ojos de Dios" y ¡este ha ayudado con su carácter contencioso!

La última tarjeta es **rosada** y tiene la palabra "hecho" escrito en ella. Una vez que comienzan con la oración, ellos empiezan con la tarea incluida en la tarjeta, y cuando ya ha sido realizada, ellos la colocan   atrás de la tarjeta "rosada de hecho". Las tarjetas NO están unidas mediante un anillo o por medio de un espiral, con el objeto de que puedan ser movidas de un lugar a otro de acuerdo a su prioridad o debido a restricciones de tiempo. (Por ejemplo, si hay una tarjeta para entrar los botes de la basura, y necesita realizarse luego por la tarde).

Cartas rosadas. Yo utilizo una tarjeta rosada para indicar que el fajo está "hecho" y las tarjetas rosadas también son utilizadas para los cumpleaños (hablaremos más acerca de esto en el Capítulo 8 "Planificando por Adelantado"). Y finalmente, yo utilizo tan solo una tarjeta rosada que dice "mueve hacia adelante las tarjetas del siguiente mes" que está establecida para el día 25 del mes (escrito en la esquina **superior** *izquierda*). Coloque esta tarjeta al frente del divisor de tarjetas del día 25. Una vez más, cubriremos este tema más a profundidad en el siguiente capítulo.

Una vez más. Cada persona tiene un fajo de tarjetas que se encuentra unido con un clip. La primera es la tarjeta blanca de oración, seguida por las tarjetas azules *diarias*. A continuación están las tarjetas amarillas *semanales* y las tarjetas verdes *mensuales*; por último, la tarjeta rosada de "hecho".

Reglas para mantenerlas juntas: Mantenga un contenedor especial para tener las tarjetas unidas juntas. Todas las tarjetas deben mantenerse allí; a nadie se le debe permitir cargar sus tarjetas por todos lados. Las tarjetas de mis hijos están en un viejo contenedor de plástico.

Enseñándoles el método. Dígales a los niños que mientras vayan terminando una tarea, deberán colocar la tarjeta correspondiente detrás de la tarjeta rosada. Después de que hayan orado, deberán ir haciendo la tarea contenida en cada tarjeta. Usted puede decirles que deben completar cada tarea en el orden en el cual usted pone las tarjetas (para aprender obediencia), o usted puede dejar que ellos hagan las tareas en el orden que ellos quieran (para enseñarles organización). Sin embargo, es importante que usted les dé una hora en la cual se espera que sus tareas hayan sido completadas. Podría ser para el mediodía, o para las 3 p.m., antes de que salgan a jugar, antes de la cena o por la mañana. *No obstante, no les diga que hagan sus tareas antes de irse a acostar,* o ¡se dormirán demasiado tarde!

Mis hijos se hicieron el hábito de tomarse toda la tarde, en lugar de la hora que les debió tomarse. Así que comencé a utilizar un reloj de cocina y lo programaba por 60 minutos para enseñarles diligencia. ¡Y funcionó! Así que esta es la manera en la cual lo programo ahora cada día. Mis hijos hacen sus tarjetas inmediatamente después de terminar sus tareas de la escuela. Si es claro que un día en particular tiene más tareas que han "comprobado" tomar más tiempo de los 60 minutos, usted fácilmente puede añadir otros 10 o 15 minutos para que ese niño concluya sus tarjetas.

Haciendo que funcione. El método *únicamente funciona* si usted saca las tarjetas cada mañana (entre semana) y aplica algún castigo si las tareas no son realizadas. ¡Las inspecciones periódicas son importantes para verificar que estén haciendo sus tareas de forma correcta y exhaustiva! De igual manera, si usted hace que las realicen de nuevo por haber sido muy perezosos en realizarlas la primera vez, eso hablará claro a ese niño y a los demás que estén de espectadores que lo que usted dice en verdad es así! Asimismo, si alguna vez ponen alguna tarjeta que esté *incompleta* o que simplemente no se haya realizado atrás de la tarjeta rosada de "hecho", ¡eso es **mentira!** Castigue la mentira de forma severa. ¡Un **mentiroso** es abominable a los ojos de Dios!

Circunstancias especiales. Ya que usted tiene todas sus tareas del hogar en tarjetas de 3x5, puede mover cualquier tarjeta para cualquier día en particular. Si usted tendrá visita y quiere que los pisos sean lavados el día antes de que sus visitas lleguen, usted puede mover esa tarjeta para ese día. Asimismo, si usted se da cuenta que durante el verano necesita aspirar de forma más frecuente, usted puede hacer más tarjetas para aspirar; luego al final del verano, deshágase de ellas. Lo más importante que debe recordar es que usted quiere mantener la limpieza, en lugar de esperar siempre a tener un gran desastre. Utilice baberos para los niños y delantales para usted y sus pequeños ayudantes. Usted tiene un trabajo muy importante que realizar, ¡así que deje que el Señor sea su jefe!

Manteniendo limpias "las áreas no vistas". Para mantener sus closets o gavetas limpias y no desviarse durante su barrida limpia, usted querrá hacer una tarjeta de 3x5 verde "mensual" para los closets y gavetas. El mejor método es empezarlo a hacer de forma mensual, y después cambiarlo a cada dos meses (dos tarjetas verdes espaciadas por dos semanas; por ejemplo, el 1 y el 15 o el 14 y el 28).

¡Usted sabrá que tan seguido necesita limpiar y ordenar dependiendo de la severidad cuando su tarjeta aparezca! Y si usted es fiel en involucrar a sus hijos en la limpieza, usted verá que ellos están mucho más interesados en mantener las cosas así para no tener que hacer una limpieza profunda de manera frecuente. Además, si usted lo está haciendo por su cuenta, es mucho más fácil mantener un closet o una gaveta limpia, ¡en lugar de dejar que se vuelva tan desordenada que la tenga que vaciar tal como cuando limpió el desorden de su hogar inicialmente!

Consejos misceláneos:

- Utilice manteles de papel de cumpleaños (o de cualquier ocasión) para envolver regalos muy grandes. Yo encuentro los manteles de papel con rebaja en los supermercados y en las tiendas de todo a un dólar.

- Las gripes pueden ser evitadas con cristales de vitamina C. El bote que yo tengo es de 16 onzas por un precio de US$28. Cuando escuchamos de gripes alrededor de nuestro círculo de amigos o de la iglesia, yo le agrego dos cucharaditas llenas a nuestra jarra de jugo. Los niños mayores se toman la mayor parte, hasta los más pequeños. Al primer síntoma de gripe en cualquiera de mis hijos, o de mi persona, yo hago una jarra con tapadera (pongo sus iniciales en el para que nadie más tome del mismo) y le agrego una cucharadita al jugo. Ellos toman del mismo durante el día y si la paramos a tiempo, no les dará gripe o resfrío. Si no lo hicimos, yo repito este procedimiento durante los siguientes días y la gripe pasa mucho más rápido. Mucha vitamina C puede causar diarrea, pero para evitar que una gripe se nos contagie a los 8, eso es un pequeño precio que pagar. Además, leímos en internet que si de hecho nos da gripe, tomar alrededor de 3000 mg cada pocas horas disminuirá los síntomas en casi un 80% ¡y nos dimos cuenta que verdaderamente es cierto! De nuevo, usted puede sufrir de un poco de diarrea cuando toma mucha vitamina C, pero entonces simplemente reduzca un poco la dosis.

Capítulo 8

Sacando el mayor provecho de

Planear con tiempo

Más formas de utilizar el sistema de tarjetas de 3x5

La mente del hombre planea su camino,
pero el SEÑOR dirige sus pasos.
—Prov. 16:9

Conforme fui teniendo más hijos, se hizo necesario que me volviera más organizada. A continuación he enumerado algunas maneras de usar el sistema de tarjetas de 3x5 para organizar su vida.

Prepárese. Cuando usted está planeando ir a algún lado con los niños, usted gasta mucha energía mental tratando de pensar en qué es lo que debe llevar. Yo me di cuenta que si hacía una lista permanente en una tarjeta de 3x5, yo podía ir escribiendo artículos adicionales que había olvidado en cada ocasión, de manera que ya los tendría escritos para la próxima vez. También podía borrar lo que realmente no necesitaba llevar.

Yo tomé un divisor blanco e hice un archivo de "Alistarse, Vamos" donde mantengo todas estas listas permanentes a las cuales les "agrego" en lugar de hacer nuevas. A continuación hay algunas sugerencias:

Pañalera: Escriba lo que usted *debe* llevar: cuántos pañales, un vaso para el bebé, toallas húmedas (yo mantengo dos toallas de manos dentro de una bolsa de sándwich para las manos pegajosas o para un pañal muy sucio, en lugar de toallas húmedas, ya que son más seguras), un par de juguetes, pantalones de entrenamiento para el niño pequeño, y biberones limpios. Después de cada paseo, yo vuelvo a surtir mi pañalera tan pronto como llego a casa para que esté lista para la próxima salida (revisando mi tarjeta de la pañalera con el contenido de la lista). Este es un trabajo que comencé a delegar a mis hijos mayores cuando los últimos tres nacieron.

Bolso: Mi madre acostumbraba a cargar todo en su bolsa de mano (era del tamaño de una maleta) y solo la limpiaba anualmente. En cuanto a mí, prefiero ordenar mi bolsa una vez a la semana. Tengo una tarjeta de "ordenar bolsa" en mi archivo de "Alistarse". Para "limpiar" cualquier cosa apropiadamente, primero necesita sacar todo. Remueva toda la basura, apile todo lo que necesita ser "colocado fuera" en cualquier otro lugar y luego vuelva a guardar todo aquello que necesita dentro de su bolsa. Luego, revise su lista de tarjetas de 3x5 para ver si hay cosas que usted necesita surtir nuevamente, y agregue cualquier "nuevo artículo" que usted necesite agregar a su lista (o borre de su lista cualquier artículo que usted ya no necesite cargar en su bolsa). Aunque a mí me gusta hacer esto semanalmente, puede que usted solo necesite hacerlo mensualmente.

Sugerencia: Yo cargo una tijera pequeña en mi bolsa todo el tiempo. Yo corto hilos que veo en la ropa de mi esposo o hijos, e incluso las etiquetas de mis compras. Pero la manera realmente grandiosa de usar las tijeras que lleva en su bolsa es para cortar la carne o la pizza para sus hijos cuando son pequeños. Es imposible cortarla con los cuchillos plásticos que dan en los restaurantes de comida rápida. Sorprendentemente es más fácil cortar la carne, el pollo, la pizza y cualquier otra cosa con tijeras, de lo que es cortarla con un cuchillo para carne. Yo compré las de mango brillante con la punta redondeada (la buena variedad que corta bien), y me parece que este artículo es usado y prestado más que cualquier otra cosa que haya en mi bolsa. Por supuesto, después de utilizar sus tijeras para cortar artículos de comida, usted debe asegurarse de limpiarlas bien antes de volver a guardarlas en su bolsa. Y por obvias razones, nunca utilice tijeras oxidadas para cortar la comida.

"Escapada" de pareja. Una vez, mi esposo me sorprendió con unas noticias emocionantes, que él me llevaría a una "escapada" de fin de semana. (¡Estamos casi seguros que nuestro séptimo hijo fue el "fruto" de esta escapada!) Él dijo, "¡Solo echa algunas cosas en un bolso!" Mi cabeza estaba dando vueltas, ya que tenía que ver que hacía con seis niños (bueno, ¿necesitan que lo explique?) Yo de hecho eché "algunas" cosas en una bolsa, ¡muy pocas! No tenía **nada** que usar para dormir, por supuesto que mi esposo estaba encantado. No me limpié la cara por dos días, ya que olvidé mis limpiadoras, y él se miraba muy a la moda utilizando sus zapatos de vestir sin calcetines. Yo aprendí mi lección.

Cuando regresé a casa, yo hice una lista de todo lo que hubiera *deseado* llevar ese fin de semana, e hice una tarjeta de 3x5 rotulada "Escapada de pareja". Más tarde agregué una tarjeta "Escapada de pareja con bebé", ya que en el impulso del momento, mi esposo frecuentemente sugería una escapada cuando yo tenía un bebé al cual estaba amamantando.

Bolsas de emergencia. Incluso si usted tiene una pañalera bien surtida, de nada le sirve si ésta se queda en casa. Así que yo tengo un contenedor plástico para cada vehículo, lleno con pañales de emergencia, biberones, una manta para bebé (ésta es muy útil para muchas cosas), y ropa interior extra para aquellos que aún tienen algún accidente ocasionalmente. También llevo conmigo un cepillo, un peine y desodorante (¡para los adolescentes sudorosos!) Por supuesto que hice una tarjeta correspondiente etiquetada "Bolsa de emergencia" para cada vehículo. Asegúrese de incluir una linterna, bengalas, etc. No se olvide de la cámara "desechable" para grabar un accidente o cualquier evento que de otra manera se lo perdería. Son baratas y se pueden reponer fácilmente.

Viajes especiales. Cada año, hacemos un viaje a un río y nos quedamos en una cabaña. Sin lugar a dudas, muchas cosas se nos olvidan, lo cual hace que "se vuelva dificultoso." Yo tengo dos tarjetas que están unidas con un clip que enumeran todo lo que necesitamos. Cada año, yo la actualizo y le hago añadiduras inmediatamente después de desempacar.

En una tarjeta, escribí lo que cada niño debe empacar en su propio maletín. Escribí cuantos pares de pantalones, camisas, ropa interior, calcetines, también una sudadera, pijamas, etc. Bajo artículos de tocador, los ordené en categorías tales como cuidado del cabello (cepillo, peines, hules, gorros, gel o spray para cabello), cuidado de ojos (lentes de contacto, gafas o gafas para el sol), cuidado del cuerpo (desodorante, protector solar, etc.), cuidado del rostro (bolsa de maquillaje, productos para el acné, etc.). Los cuatro mayores (les dejó empacar por su cuenta cuando ya tienen 10 años o más) arreglan sus propias pertenencias, mientras yo empaco para los tres menores. Ellos colocan todo sobre su cama y yo reviso para asegurarme de que hayan hecho un buen trabajo (no los deje empacar sus propios maletines primero ya que hace que sea más difícil ver qué fue lo que empacaron).

¡Por años, su maleta fue tan solo una funda de almohada! Cada uno tenía un color diferente, y realmente funcionaba bien. (Por supuesto, con nuestra gran familia, nosotros nunca volábamos a ningún lado. Ahora que lo pienso, nosotros usábamos bolsas de lona militares cuando volábamos, cuando teníamos cuatro niños.) El año pasado, cada uno de los niños mayores obtuvo un maletín deportivo de nylon para el equipo de natación que ahora utilizamos para los viajes. A los más pequeños les compré una mochila para su cumpleaños. (No utilice estas mochilas para cuando vaya a la playa, ¡la arena estará para siempre entre sus pertenencias!)

Ahora que el dinero no es un problema, hemos podido comprar un juego de maletas de las que tienen ruedas. Nosotros compramos las maletas para los tres niños pequeños y los niños más grandes compraron las suyas. Esto se convirtió en un "artículo necesario" cuando comenzamos a ir a resorts en lugar de cabañas y cuando comenzamos a volar con nuestros niños. Cada uno está en una etapa diferente de su vida; haga lo que mejor se ajuste a su estilo de vida.

Salir a comer: Cuando salimos a comer *todos*, se nos quedan observando lo suficiente ¡sin necesidad de que todos me vean tratando de descifrar lo que cada niño quiere en su papa horneada! En la mayoría de restaurantes o lugares de comida rápida, usted encontrará, como nosotros lo hicimos, que cada uno tiene su comida favorita que le gusta pedir, así que ¿por qué no anotarla? Yo comencé haciendo una tarjeta de 3x5 para mi madre, a quien le gustaba llevar a los niños a cenar, para hacerle las cosas menos complicadas. Luego de eso, yo guardé la tarjeta con mi dinero (billetes) en mi billetera. Después comencé a hacer una por cada lugar al que nosotros salíamos a comer. Inclusive anoté cuánto valía, lo que me ayudaba a ver si llevaba suficiente dinero conmigo (antes de que cargáramos todo para ganar "millas de viajero frecuente"). ¡Un beneficio adicional era que yo sabía si me habían cobrado de más! ¡Y si usted está utilizando un cupón y lo une a su tarjeta de 3x5 con un clip, usted se acordará de usarlo!

Para aquellas de ustedes que simplemente dejan a sus hijos "escoger" lo que quieran, incluso si ustedes no pueden pagarlo, esto hace que sus hijos se vuelvan maleducados. La mayoría de los niños que vienen con nosotros se sienten indignados cuando les digo que deben escoger "una" cosa del menú de "un dólar" cuando siempre se les ha permitido pedir lo que ellos quieren. Y cuando se les deja escoger que pedir, por lo general escogen de manera insensata y piden demasiado. Entonces ellos dejarán mucha comida sin comer o comerán de más.

Las mujeres jóvenes deben ser instruidas para ser "mesuradas" con sus elecciones, ya que la mayoría de parejas de casados tienen un presupuesto ajustado. También, los hombres jóvenes deben aprender a ser prudentes con sus elecciones, ya que ellos tendrán una familia de la cual deberán hacerse cargo. Todos sabemos que es "fácil" aprender a gastar dinero, pero es difícil aprender cómo manejarse con pocos medios; por lo tanto, un niño debería ser instruido para hacerlo de esa manera.

"No que hable porque tenga escasez, pues he aprendido a contentarme cualquiera que sea mi situación. Sé vivir en pobreza, y sé vivir en prosperidad; en todo y por todo he aprendido el secreto tanto de estar saciado como *de* tener hambre, de tener abundancia como de sufrir necesidad" (Fil. 4:11-12).

Libros. Yo acostumbro pedir prestados y prestar muchos libros, y es extremadamente difícil llevar el record de ellos cuando ya no los tengo. Así que ahora cuando presto o pido prestado un libro, yo escribo en una tarjeta blanca: "Pedí prestado a Sue" (o pedí prestado a la biblioteca) o "Di prestado a Sue" y la fecha en la cual lo presté o lo pedí prestado. Luego coloco la tarjeta en mi archivo fechado para que aparezca cuando el libro debe ser devuelto a la biblioteca o un mes después yo *devuelvo* el libro o *pido de vuelta* el libro que presté.

Cuando yo devuelvo un libro, trazo una línea encima del nombre y escribo "devuelto", junto con la fecha, pero guardo la tarjeta por un tiempo. Muchas veces puede surgir la duda por parte de quien lo prestó o incluso en su propia mente en cuanto a si usted realmente lo devolvió.

Yo también escribo en otra tarjeta los libros recomendados que no puedo comprar en ese momento, y utilizo esa tarjeta cuando alguien me pregunta que me gustaría recibir como regalo. Yo guardo la tarjeta en el mes de mi cumpleaños o en la sección de diciembre para regalos de Navidad.

Cuando leo un libro, especialmente uno prestado, yo hago anotaciones en una tarjeta de 3x5 para futuras referencias. Todas estas son guardadas en una tarjeta en blanco titulada "Libros" que mantengo en mi archivo cerca del final (atrás de los días del mes 1-31 y los meses de enero a diciembre).

¡Cumpleaños! En la sección de meses (enero–diciembre), yo tengo una tarjeta *rosada* de 3x5 para los cumpleaños. El nombre del mes está al inicio de la tarjeta. A continuación está el *día* del mes, seguido del nombre de la persona y el año (por ejemplo '78). Luego, le coloco "enviar" con suficiente tiempo para que la persona lo reciba a tiempo. El tiempo de envío del correo es más corto si se trata de tan solo una tarjeta; es más tardado si se trata de un paquete.

Por ejemplo, yo escribo debajo de enero "7 Maura 1958, enviar tarjeta el 1°". Cuando yo escucho que un nuevo bebé ha nacido en la familia, yo escribo el día al final de la tarjeta de ese mes; junto con el nombre, el año y ¡cuando enviar la tarjeta (o regalo) para su primer cumpleaños!

La tarjeta rosada se saca el día 25, para que usted tenga algunos días para comprar la tarjeta o el regalo y pueda enviarlo por correo. (Si es en el primer día del mes, sería sensato colocarlo en la tarjeta de 3x5 del mes anterior, especialmente si usted acostumbra a enviar por correo un regalo a esa persona).

Yo mantengo la tarjeta rosada de este mes en mi sujetapapeles todos los días hasta que ya he comprado la tarjeta o el regalo para cada cumpleaños de ese mes. ¡Luego, coloco la tarjeta rosada en el día en que la próxima tarjeta o regalo debe ser enviado! Al final del mes, yo coloco la tarjeta en el mes en el que corresponde.

Por ejemplo, después de que yo envíe la tarjeta de Maura el 1°, luego coloco la tarjeta al frente del día 5 cuando yo necesitaré enviar la tarjeta de cumpleaños de Jim, ya que su cumpleaños es el día 9 del mes.

Consejo: Si usted es como yo, le gusta comprar por adelantado para los cumpleaños y para Navidad cuando usted encuentra una buena oferta o algo que usted sabe que realmente les gustara. Sin embargo, muchas de nosotras tenemos problemas encontrando *donde* esconder las compras. En una tarjeta blanca de 3x5, escriba para quién es el regalo, qué es el regalo y dónde lo escondió. Colóquela DETRÁS de la tarjeta rosada de cumpleaños para ese mes. Usted será alertada acerca de lo que compró y donde lo escondió en el día 25 del mes previo. ¡Realmente funciona!

Fiestas y otros compromisos: No hay nada peor para las mujeres que utilizar el mismo vestido cuando están con las mismas personas, porque no pueden recordar qué fue lo que utilizaron la última vez. (¿Le pasa esto a usted o es que yo me estoy volviendo vieja?) Lo que yo hago para recordar cuando voy a dar una charla a algún lado es escribir con lápiz en una tarjeta la fecha en la cual me pidieron dar la charla y que es lo que yo planeo utilizar de vestimenta. Yo coloco esta tarjeta en la fecha (o un día antes) en la que tengo agendado hablar. Cuando coloco la tarjeta de vuelta, yo escribo lo que en efecto utilicé, así sé que no lo debo volver a utilizar. (Si yo no tengo otro compromiso para dar una charla en mi agenda, entonces yo guardo esta tarjeta en la sección del archivo de "¡Alistarse, Vamos!") Si hay una fecha, entonces la coloco cerca del día de mi siguiente compromiso.

Usted también puede utilizar este método para la vestimenta para asistir a la iglesia, cenas de negocios o incluso, para las reuniones de padres y maestros (aunque probablemente estas requieren de vestimenta casual ahora, así que no debiera importar).

Closet de ropa de baño: En nuestra primera casa después de nuestra restauración, únicamente teníamos un baño con una pequeña estantería en donde guardar los artículos de aseo, medicinas, curitas, etc. Era casi imposible encontrar algo hasta que utilicé mi sistema de tarjetas de 3x5. Comencé por guardar algunos galones de plástico de helado con sus respectivas tapaderas, para poder ordenar y guardar las cosas. Yo enumere cada recipiente y le escribí la tarjeta de 3x5 correspondiente. Yo hice una lista del número del recipiente, su contenido y su ubicación (en cuál de las tres estanterías estaba) en cada tarjeta. Esta puede ser guardada al final de su archivo de tarjetas con un divisor titulado "baño" o en la propia estantería en un gancho. Cuando usted, sus hijos o su esposo necesiten algo, solo hojee las tarjetas para encontrar en cuál recipiente está localizado el artículo y en cuál estantería.

Este sistema se hizo muy útil cuando estaba en cama enferma o dando de mamar a un bebé. Mi esposo o mis hijos me llevaban las tarjetas y ¡luego iban a traer el recipiente para que yo pudiera encontrar el artículo para ellos! Después, algunas horas más tarde, yo pedía la caja de las curitas o de la crema para la picazón para poder colocarla de nuevo en el recipiente y enviarlos a colocarlo de vuelta en la estantería. ¡Aunque tenemos muchos más baños y muchas estanterías, este método probó ser más eficiente del que tenemos ahora!

Videos caseros. Cuando compramos una videocámara, yo estaba emocionada. Pero localizar un evento que quisiéramos ver era frustrante. Así que un día, nosotros (los niños y yo) nos sentamos a ver todos nuestros vídeos "por diversión" para que yo pudiera documentar los eventos principales del vídeo en una tarjeta blanca de 3x5. Yo enumeré las cintas 1–10 y enumeré la correspondiente tarjeta de 3x5. Si yo sabía la fecha del evento que estábamos viendo, la escribía (o frecuentemente trataba de adivinarla), seguido por el evento (como el cumpleaños número 10 de Axel, los primeros pasos de Macy, los premios de fútbol de A & E, vacaciones en la playa Fort Walton 1998). Desafortunadamente, yo no supe que existía un botón que marcaba la fecha en la película durante los primeros años que tuvimos nuestra videocámara. Con este método, ahora podemos encontrar cualquier cosa que queramos ver.

Este método fue útil después de que mi padre falleció y pudimos ver todos los momentos que compartimos con él. Yo tengo la esperanza de poder juntarlos todos en un único vídeo y regalárselo a mis hermanos y hermanas para Navidad *algún* año.

Consejo: Hicimos un video de una entrevista con la bisabuela Brown algunos años antes de que falleciera. Ella se vistió con uno de sus vestidos de la iglesia y nosotros le dimos un ramillete de muñeca. Mi esposo, su nieto, usó su esmoquin de la banda de la iglesia. Seguimos el formato de "Programa de Entrevista" mientras mi esposo la presentaba y le hacía preguntas acerca de su vida.

En determinado momento, nosotros (supuestamente) apagamos la cámara para tomar un descanso, pero en realidad lo grabamos sin que la Abuela tuviera conocimiento. Con la cámara apagada, ella comenzó a "soltarse el cabello" y ser menos formal. Allí fue cuando comenzó a decir cosas que ella nunca habría dicho con la cámara encendida, lo cual nos hizo reír tanto que estábamos casi histéricos.

Cuando escuchamos que había fallecido, hicimos una copia y la enviamos a Minnesota. Más tarde, la familia se reunió en su casa y puso el vídeo después de su funeral. Ellos llamaron para decir que ellos habían reído hasta llorar. Nos dijeron que eso les ayudó a recordar cómo acostumbraba ser ella antes que enfermara; ¡dijeron que fue maravilloso! Nosotros hicimos lo mismo con mi padre, y también fue una gran bendición. Por cierto, el vídeo de la Abuela fue tomado con una cámara rentada. Si usted aún no tiene la capacidad económica para tener una, rente o pida una prestada, y haga un vídeo con cada uno de sus padres para que sus hijos los recuerden. ¡Hágalo ahora antes de que sea muy tarde!

Capítulo 9

Sacando el mayor provecho de los

Juguetes

Eliminando la locura de los juguetes

Pero el muchacho dejado por su cuenta
avergüenza a su madre . . .
—Prov. 29:15

¿Es la cantidad de juguetes regados por toda su casa uno de los desórdenes más molestos y que aún continúa en su hogar? Si sus hijos o nietos tienen demasiados juguetes, aquí hay una solución que yo encontré hace años ¡que realmente funciona! Cuando mis hijos más grandes eran pequeños, yo traté varias ideas que había leído en revistas, libros o que había escuchado en programas de televisión. **Todas ellas** comprobaron ser ideas que inventó alguien que no tenía hijos, o que sólo tenía uno.

Ahora, años después, ¡a mí todavía me encanta aprender nuevas formas de organizar y ver a los expertos en organización! Una vez más, algunas de sus soluciones son ridículas y verdaderamente son un chiste.

Las cajas de juguetes, para mí, son un chiste. Los niños acostumbran a jugar únicamente con los juguetes de hasta arriba, o sacarán todo para buscar algo que está abajo. Durante algunos años, yo probé el método Montessori y coloqué estanterías en nuestro cobertizo y *traté* de hacer que ellos colocaran sus juguetes de nuevo en las estanterías. Honestamente, esto era tanto trabajo que de verdad no valía la pena tanto esfuerzo, no obstante yo solo tenía dos hijos y mucho más tiempo para dedicarle a los juguetes.

Un cesto para la ropa, sin embargo, es grandioso para los juguetes de un niño pequeño (niñito) y le caben casi suficientes juguetes sólo para él. Incluso los niños más pequeños pueden aprender a recoger sus juguetes y colocarlos en el cesto, a menos que usted no haga que los recojan cuando hacen un berrinche. Pero solo recuerde que cuando usted cede ante ellos, si usted no puede controlar a un niño de dieciocho meses, ¿cómo va a controlarlo cuando cumpla dieciocho **años**?

Hoy, no existe duda de que los niños en los Estados Unidos tienen muchos, muchísimos juguetes. Yo veo programas todo el tiempo en el que los padres dicen que necesitan habitaciones más grandes o una casa más grande por todos los juguetes que sus hijos tienen. ¡Qué ridículo! Ellos obtienen juguetes de sus padres que trabajan, abuelos (que ahora tienen una cantidad limitada de nietos por los cuales han esperado por tantos años), y de sus amigos. Las prendas usadas que se van heredando y los juguetes de ventas de garaje también pueden provocar un exceso de juguetes y demasiado desorden.

Así que, una vez más, las habitaciones están desordenadas y no hay lugar para jugar debido a los resbaladeros plásticos y todos los bienes innecesarios que los padres equivocadamente piensan que son necesarios que sus hijos tengan para mantenerlos ocupados y felices. Algunas de ustedes pueden compartir mi forma de pensar, pero pueden ser sus padres o sus suegros los culpables. Hay una solución fácil si los abuelos viven en la zona, y es decirles que cualquier cosa que les compren debe quedarse en *su* casa. ¡Oh que alegría será para sus hijos ir a la casa de sus abuelos donde hay tantos juguetes! Mi exesposo me decía que fuéramos a la casa de sus abuelos casi semanalmente. Ellos no tenían nada con qué jugar, a excepción de un pequeño banquillo para los pies al cual él le daba vuelta y jugaba como si fuera un carro de carreras. ¡Oh, cómo han cambiado los tiempos!

¡Recientemente escuché que se estaban volviendo populares los té de canastilla para las abuelas! La abuela obtiene juguetes y otros muebles de bebé para tener en su casa para cuando sus nietos llegan de visita. Ay, eso es aterrador.

Bueno, luego de veinte años de éxito comprobado, aquí hay una manera segura de controlar el problema de los juguetes en su hogar o en el hogar de la abuela (si ella quiere ayuda).

Primero. Ordene todos los juguetes de sus hijos en categorías o en conjuntos, o haga un montón de cestos variados. Utilice cualquier tipo de recipientes que usted tenga, tales como las cubetas grandes del detergente para ropa, cajones Rubbermaid, cestos para la ropa, y mantenga cualquier conjunto en su caja original si usted las conserva (y si caben de regreso una vez armados). Tire cualquier juguete al que le hagan falta piezas o que esté roto y sin reparación.

¡Ahora, guárdelos bajo llave! A continuación, busque un closet con cerrojo para colocar dentro todos los juguetes ya ordenados, y saque *un* solo conjunto para un día entero. ¿Horrorizada? ¿Usted cree que no estarán contentos hasta que ellos puedan tener en sus manos cada juguete que ellos quieran? El T.D.A. (Trastorno de Déficit Atencional) no es una enfermedad, sino una conducta que nosotros incentivamos y nutrimos en nuestros hijos o nietos.

Un niño al que se le deja correr de un evento a otro, ver cuanta televisión quiere y que tiene poca o cero disciplina (inclusive la palabra "no" no es utilizada) está en problemas o pronto será un estudiante que necesitará ser "drogado" cuando llegue a la escuela y sea incapaz de sentarse quieto por cinco minutos a la vez.

Cuanto más bendecida sea usted financieramente, sus hijos tendrán más, y entonces será mayor la destrucción que esto traerá si usted no es muy, pero muy cuidadosa. Si su hijo es obligado a jugar con un solo conjunto, él o ella también es obligado (a) ¡a "ser creativo (a)"! Usualmente viene sobre ellos rápidamente cuando le dicen que están "aburridos". ¡Mi cura para el "aburrimiento" son las tareas de la casa!

Yo inmediatamente dejo de hacer lo que estoy haciendo, y *entusiasmadamente* (con una gran sonrisa en mi rostro) les digo "¡Magnífico! ¡Yo podría necesitar de tu ayuda!" y les pongo a hacer alguna tarea. Este método no es efectivo si solo los "amenaza" con que harán tareas si se quejan cuando están aburridos. Usted debe cumplir para que ellos aprendan que quejarse que están aburridos es la consecuencia natural de no ser creativos y aprender a entretenerse ellos mismos.

Si usted no es una madre o abuela tan determinada como yo lo soy, usted fácilmente puede modificar este método y solo dejar que se saque un conjunto en cada ocasión. Y a menos de que sea recogido, otro no les será dado. Pero créame que los niños que son forzados a ser creativos (con un solo conjunto al día) son los más bendecidos.

Horario. Ahora que nuestros juguetes están organizados en conjuntos, vea cuántos conjuntos tiene, y asigne un día para jugar a cada uno. Aquí hay un ejemplo de lo que yo hice:

> Lunes: Legos
> Martes: Teatro
> Miércoles: Conjunto espacial
> Jueves: Carritos (todos los Hot Wheels y los camiones)
> Viernes: Conjunto de la granja
> Sábados: Aeropuerto

Cuando mis cuatro hijos mayores eran más pequeños, nosotros rotábamos con un horario semanal. Ahora con mis tres hijos menores, tenemos suficientes conjuntos para rotarlos quincenalmente.

También tenía un día "musical" con todo tipo de juguetes que hacían ruido y otro día para rompecabezas. Yo no tenía estos en los días normales que rotábamos, pero los sacaba solo de forma periódica. Muy rara vez podía quitarle lo ruidoso al día musical, pero amaba el día en que hacían rompecabezas todo el día.

Usted podrá estar pensando que a usted no le importan los juguetes o que usted tiene suficiente espacio para permitirles tener todos sus juguetes disponibles cada día. Sin embargo, tal y como lo compartí anteriormente, hay muchos más beneficios al seguir la guía del Señor en cuanto a esto. Ayudó a que mis hijos aprendieran contentamiento. Hay tantos niños que se encuentran "aburridos" incluso cuando tienen una tienda de juguetes en su propia casa. Todo lo que quieren es más, mientras cambian rápidamente de una actividad a otra. Ame a sus hijos lo suficiente como para no consentir su aburrimiento; en su lugar, haga que crezcan a través de enseñarles contentamiento. Además ayudará a despertar la creatividad que Dios ha puesto en ellos y que ahora yace dormida.

Piezas perdidas: No importa que tanto trate, usted encontrará piezas de algunos conjuntos debajo del sillón o detrás de la mesa. En lugar de tratar de colocarlas de vuelta en el conjunto al que pertenecen, yo coloco una cubeta que dice "Piezas Perdidas" y la coloco en el closet junto con los demás juguetes. Cuando algún niño o yo encontramos una pieza perdida, la colocamos en el recipiente. Luego, cada mañana después de sacar el conjunto para los niños, yo le daba vuelta a la cubeta en el piso para que los niños buscaran las piezas que correspondían al conjunto con el que estaban jugando. ¡Incluso papá sabía dónde colocar algo que había encontrado!

Este tipo de rotación puede funcionar también con los juegos de mesa, cuando sus hijos sean mayores. Solo defina un juego particular para ese día y usted verá que ellos se aburren menos con el mismo juego.

Esto también ayuda cuando los abuelos quieren saber qué comprarle a sus hijos para Navidad o para los cumpleaños. Usted puede ver qué conjunto necesita más Legos o carritos y obtener algo que sus hijos realmente necesitan, en lugar de algo con lo que no jugarán.

Otro consejo útil. Guarde un conjunto favorito o uno nuevo para cuando "papá llegue a casa". Mi esposo me dijo una vez, cuando trabajaba fuera de casa, que algunas veces él se dirigía con gran temor a la puerta principal a las 5:30 p.m. debido al "ataque en masa" que le sobrevenía. Los niños le rogaban para que luchara o jugara con ellos, lo cual él hacía porque los amaba. Sin embargo, él me dijo que si tan solo tuviera un poco de tiempo para relajarse, él estaría bien.

Así que a la siguiente noche les dije a los niños que los dejaría jugar con su conjunto favorito "cuando papá llegara a casa". Cuando ellos escucharon que él venía por la puerta, él nuevamente fue atacado con besos y abrazos, ¡pero luego corrieron a mamá, quien tenía su conjunto de juego favorito! Ellos jugaron alegremente hasta que la cena estuvo lista. Después, luego de cenar, ellos pasaron un tiempo increíble con papá, quien ya había tenido tiempo para poder relajarse luego de un arduo día de trabajo.

Esto también funciona cuando llegan adultos de visita. Solo saque un conjunto especial que se utilice para ocasiones similares. Hablando de visitas, cuando usted tiene niños de visita en su hogar, usted AMARÁ este método, con sus juguetes guardados bajo llave.

Cuando pequeños amigos vienen a jugar. Algunos niños son extremadamente destructores y rompen los juguetes, mientras otros son literalmente tornados creando un completo desorden por toda su casa. Cuando vienen amigos a jugar, asegúrese de insistir en que ayuden a recoger los juguetes. Los niños a quienes se les obliga (quizás por primera vez) a recoger los juguetes, serán menos capaces de destruir su hogar cuando ellos vuelvan a visitar (si es que ellos regresan).

Probablemente usted tendrá que supervisar la recogida, pero podría estar ayudando a esa madre que nunca pensó que su hijo fuera capaz de recoger su propio desorden. Asegúrese de enseñarles a sus hijos a recoger cuando estén de visita. Cuando otras mamás vean como sus hijos están instruidos, ellas podrían solicitar su ayuda. Entonces usted podrá remitirlas a nuestra página de internet para obtener libros gratuitamente, ¡los cuales esperamos que las puedan guiar a conocer al Hombre que murió por ellas!

Donde juegan los niños. Al inicio de mi maternidad, yo hice un hábito de no mantener juguetes en la habitación del niño, a menos que fuera una muñeca o un peluche. Yo siempre les mantuve a los niños libros de lectura en sus habitaciones, y eso era todo. Mis hijos aprendieron que las habitaciones son para dormir, para descansar o para leer. Esto evitó que sus habitaciones se vieran como la mayoría de habitaciones de los niños, un desastre que yo no quería tener que limpiar o intentar que ellos limpiaran.

Una manera grandiosa de mantener los peluches o muñecas alejados del suelo y darles un hogar (mientras que a la vez decora su habitación) es colocar pequeños ganchos en forma de copa alrededor de la puerta de su closet o ventana. Luego coloque un listón alrededor de su cuello y cuélguelos del gancho. Yo hice esto porque parecía que teníamos cincuenta peluches que siempre terminarian en el suelo. Rara vez mis hijos me pedían que los bajara para que jugaran con ellos, así que cuando nos mudamos de casa, los donamos a los pobres.

Incluso si usted vive en un apartamento muy pequeño, usted puede acomodar un lugar para jugar. Si es pequeño, hágalo divertido colocando una sábana o manta grande en el piso y dígales que necesitan mantenerse sobre ella. Créalo o no, hace que las cosas sean más divertidas. Otro beneficio es al momento de limpiar, especialmente si han estado jugando con pequeñas piezas tales como Legos, ¡es casi instantáneo el recoger y echar las piezas de nuevo en el contenedor!

Para concluir, una tarea muy importante, incluso con los juguetes, es el limpiar el desorden periódicamente. Un buen momento para hacerlo es justo antes del cumpleaños de sus hijos y una vez más antes de Navidad. Entonces usted puede ver qué juguetes le beneficia a su hijo tener en casa, y deshacerse de los juguetes que están rotos, a los que les faltan piezas, con los que ya no juega o juguetes que ya están fuera del rango de edad de sus hijos. Dé los juguetes a la iglesia o a la caridad, ya que Dios nos bendice por *regalar,* no por vender.

Utilice el método del Capítulo 2 para ordenar sus juguetes, y concéntrese principalmente en los juguetes que sus hijos han dejado atrás debido a su edad. Regale esos juguetes a amigos, a los pobres, o guárdelos en cajas para sus futuros hijos (pero solo si serán utilizados dentro de los siguientes dos años).

Si su hijo no está jugando con un juguete, probablemente sea la mayor parte del desorden que usted limpia, o en el que se pare a diario. Hágase un favor a usted y a sus hijos al deshacerse de los juguetes que ya no utilizan o necesitan, luego organizando y guardando el resto, tal y como se ha sugerido en este capítulo.

—— Capítulo 10 ——

Sacando el mayor provecho de la

Planificación de sus comidas—

Hágalo simple

Preparas mesa delante de mí . . .
—Salmo 23:5

"Eh, ¿qué hay para cenar?"

Si usted es como la mayoría de mujeres, **"¿Qué hay de cenar?"** es una pregunta que la hace encogerse de miedo. Ya sea que se lo pregunte usted misma, o que sus hijos o su esposo le pregunten, qué hay de cenar es una pregunta que atormenta a toda ama de casa. ¿Creería usted que en el transcurso de su vida adulta usted hará más de 18,000 cenas y alrededor de 60,000 comidas? ¡Esas son un montón de ideas que nos tienen que surgir a usted y a mí!

Sabiendo que tenía que haber una mejor manera, yo intenté el método en el cual cocinas por un mes, ¡pero cocinar por un día completo, todo el día, fue horrible! Como si eso no fuese lo suficientemente malo, cuando lo probé, mi familia se quejó de que no querían "sobras" cada noche, ¡ya que las comidas estaban precocinadas y solo eran calentadas!

Mi madre resolvió su dilema de "qué hay de cenar" al hacer las mismas pocas comidas una y otra vez. Básicamente, nosotros comíamos: espagueti, hamburguesas, chuletas de cerdo, pescado y pollo. Tener una comida en particular destinada para un día en particular hubiera sido demasiado organizado para mi madre, así que ella solo mezclaba los días, lo cual era su forma de mantenernos adivinando, así no sabríamos en qué día buscar a otra familia que nos diera de comer.

Cuando yo estaba en la universidad llegué a la conclusión de que no era el "hacer" la cena lo difícil, sino el "qué" hacer, siendo esta la raíz del problema. Yo concluí que si tan solo pudiera tener suficientes opciones de cenas para un mes y repetirlas cada mes, ¡cada cena sería repetida tan solo 12 veces al año!

También me percaté cuando miraba películas viejas como "Pollyanna," que el cocinero tenía un portapapeles que detallaba la comida, la cual la señora de la casa podía escoger con una semana de anticipación. Así que me embarqué en hacer el menú del mes y en ponerlo en un portapapeles para ahorrar tiempo, dinero y principalmente el estrés mental y la angustia de no saber qué hacer para cenar, "voilà", ¡funcionó!

Mi método funcionó tan bien para mí que se me solicitó hablar acerca de mi menú mensual a muchas organizaciones de mujeres; sin embargo, después de mi divorcio, rápidamente me di cuenta que no a todas las mujeres les gusta organizar como a mí me gusta y tan solo sentarme y crear este comprobado método infalible. También descubrí que no siempre es necesario ser tan organizada cuando usted tiene el deseo y la libertad de inventar una variedad de comidas. Por lo tanto, yo sabía que necesitaba buscar al Señor para otro método que requiriera menos tiempo invertido en un inicio, ¡y que podría funcionar para mi familia y para la suya!

Búsquelo a Él. Señoras, esa es la clave y la respuesta a cualquier dilema en su vida, busque al Señor para la solución. ¿Por qué preguntarse a usted misma, a su amiga, o a un experto cuando hay Alguien que anhela bendecirla y darle a conocer secretos que nadie más sabe? Si hay algo de sabiduría en mí, toda ha venido de Dios. Nos encanta bendecir a otros con ideas y consejos para hacer que sus vidas sean más sencillas, pero el mejor que yo alguna vez podría darle a alguien es buscar al Señor para cada solución a cada problema o pregunta que usted tenga. Grande o pequeña, ¡Él tiene las respuestas y está sentado justo a su lado esperando que usted le pregunte!

Nivel 1
La forma MÁS SENCILLA de planear las comidas
10 sencillos pasos

Meta: encontrar al menos 28 ideas de cenas, las cuales incluirán los días de comer fuera

1. Tome una tarjeta de 3x5 y escriba hasta arriba un **tema** para su comida: pollo, carne molida, comida mexicana, comida italiana, pasta, comidas sin carne, a la parrilla, cacerolas, buenas comidas, en olla de cocimiento lento, favoritas de la familia, comidas que confortan (las que usted creció comiendo), y otras para salir a comer fuera.

2. En cada tarjeta de 3x5 haga una lluvia de ideas y escriba todas las comidas en las que pueda pensar que incluyan pollo, carne molida, comida mexicana, comida italiana, pasta, comidas sin carne, a la parrilla, cacerolas, buenas comidas, en olla de cocimiento lento, favoritas de la familia, comidas que confortan (las que usted creció comiendo), y lugares a los que a su familia les gusta ir cuando salen a comer fuera.

Ideas para la cena: revise cualquier lista que usted haya podido hacer, piense en lo que usted usualmente hace, pídale ideas a su familia o a sus amigas, mire en libros de cocina, y piense en lugares a los que le gusta ir a comer cuando sale para poner a funcionar su memoria. ¡Todas las que hacen este simple ejercicio se sorprenden al darse cuenta en realidad de cuántas cenas pudieron incluir en la lista!

Ahora, vea sus tarjetas para ver qué tema tiene la mayor cantidad de ideas enumeradas. Para su menú de una-vez-al-mes usted necesitará solo 7 temas, uno para cada día de la semana, el cual incluirá su tarjeta de comer fuera si a usted le gusta comer fuera de casa una vez a la semana.

Por cierto, usted podrá percatarse de que algunas de sus comidas se traslapan. Por ejemplo, usted puede tener pollo frito en su tarjeta de pollo y en su tarjeta de buenas comidas. No se preocupe, trataremos este tema en un siguiente paso.

Más acerca de comer fuera. Si su familia, en estos momentos, sale a comer fuera *todo el tiempo,* planee por lo menos 2 días de comer fuera por semana. Si usted es de aquellas que *nunca* comen fuera, usted podría considerar tomar un descanso de la cocina y abstenerse además de los comentarios negativos que les gusta hacer a los hijos mayores para hacerla sentir culpable.

Comiendo las sobras. *Incluya un día para comer lo que sobra de sus comidas haciendo un bar de comida, que es lo que yo hice (para nuestro almuerzo del viernes) por años hasta muy recientemente. Si usted no quiere comerse sus sobras, busque a alguien a quien regalarlas. Por casi diez años le di las sobras de mis comidas a mis padres para que mi madre no tuviera que cocinar. ¡La verdad es que siempre hacía comida extra e incluía mis sobras que alimentaban a mi madre, a mi padre, y a mi hermana que padece retraso mental!*

Ya que ahora mis padres han fallecido, comencé a darle mis sobras a mi hijo mayor que trabaja desde el hogar y se mantiene muy ocupado para poder cocinar. Él dice que le ahorra mucho tiempo y dinero el solo agarrar la comida y calentarla.

Una amiga mía nunca hacía almuerzos. Las sobras siempre eran sus almuerzos. Una vez más, no intente descifrarlo. ¡Pídale a Dios que le diga qué hacer con sus sobras!

3. Escoja su tema de acuerdo con el día de la semana. Por ejemplo, usted puede querer hacer la receta de la olla de cocimiento lento los miércoles porque esa noche es muy alocada cuando va a la iglesia a media semana o quizás usted quiera escoger la comida de la olla de cocimiento lento para las tardes de los domingos cuando usted regresa de la iglesia. O quizás la quiera para el lunes en la noche para que la pueda hacer antes de tiempo, los domingos en la noche, ya que los lunes siempre son más cansados. ¿Entiende la idea? Aquí está como yo hago con el mío:

Domingo es nuestro único día **de comer fuera** luego de la iglesia.

Lunes comemos **comida italiana** porque es rápida y sencilla.

Martes comemos **pollo** sin que exista alguna razón en particular, simplemente nos gusta y comemos bastante pollo.

Miércoles comemos **comida mexicana,** que también es una comida sencilla.

Jueves pareciera ser el único día en que todos mis hijos están en casa, así que comemos nuestra **buena comida.**

Viernes es día **de favoritas de la familia,** que es nuestra manera de celebrar que ha finalizado la semana laboral o de estudio.

Sábado me gusta **asar a la parrilla** (y sí, lo hago al finalizar el invierno).

Otro consejo para las sobras: Su día de comer sobras debería ser el día **antes (o el día) de hacer supermercado para que usted haya acabado con su comida vieja, haya limpiado las estanterías, antes de colocar la comida fresca (en lugar de hacer lo que la mayoría de las personas hacen, ocultar la comida que se arruina).*

Recuerde también acabar lo que hay en su panera, en su estantería de los chips, en su gaveta de la fruta, en su gaveta de las ensaladas o vegetales y en su gaveta de la carne/queso que también puede ser utilizado para sus sobras o dárselo a alguien con necesidad.

Escriba en la *esquina superior izquierda,* qué día de la semana escogerá para cada tema.

4. Luego, haga una tarjeta separada para cada comida. Si usted tiene al menos cuatro comidas por cada tema, eso cubrirá los menús del mes. Si usted tiene 6 comidas, lo alargará para un mes y medio. Dependiendo de cuántas opciones de comidas usted tenga, ¡usted las puede ir alargando conforme incluya más comidas! Esto también incluye los lugares a los que su familia sale a comer.

5. Tome sus tarjetas con los temas de las comidas y júntelas con un clip para papel. Colóquelas dentro de un archivo plástico para tarjetas de 3x5 bajo la sección "cenas." Luego, solo una vez a la semana (nosotros hacemos esto los domingos después de nuestro gran

desayuno), saque una de las comidas de sus temas para cada día de la semana. Por ejemplo:

Domingo: Yo escojo "Chef Chino" de mis tarjetas de **comer fuera**.
Lunes: Yo escojo "lasaña" de mis tarjetas de **comida italiana**.
Martes: Yo escojo "pollo frito" de mis tarjetas de **pollo.**
Miércoles: Yo escojo "tacos de carne" de mis tarjetas de **comida mexicana**.
Jueves: Yo escojo "asado de cerdo" de mis tarjetas de **buenas comidas**.
Viernes: Yo escojo "croquetas de atún" de mis tarjetas de **favoritas de la familia**.
Sábado: Yo escojo "bistecs" de mis tarjetas de **a la parrilla**.

6. Comidas completas. Si usted quiere tener menos en qué pensar cada día, entonces debajo de la comida escriba *con lo que acompañará* cada cena. Primero busque los vegetales a través de una lluvia de ideas y vaya escribiendo cada vegetal que venga a su mente en una tarjeta de 3x5. No limite a su familia en base a lo que comen actualmente; comience a probar cosas nuevas y expanda los horizontes de su familia.

A continuación siga con una harina: pasta, arroz, pan o papas y finalmente, si usted lo desea, un postre. Escriba esto al final de su tarjeta. Por ejemplo, yo anoto té caliente, galletas de la fortuna y palillos chinos con una comida china. Utilice su tarjeta de 3x5 para ayudarle a ir tomando notas (a lápiz) para usted misma para ahorrarle tiempo y no estar pensando en estas cosas cada semana. Por ejemplo:

Domingo: simplemente es Chef Chino.
Lunes: a la par de la lasaña, yo escribo ensalada y pan.
Martes: a la par de pollo frito, yo escribo espinaca y pan de maíz.
Miércoles: a la par de tacos de carne, yo escribo frijoles refritos, chips de tortilla con salsa y guacamole.
Jueves: a la par de asado de cerdo, yo escribo plato de pasta, ensalada y panecillos.
Viernes: a la par de croquetas de atún yo escribo macarrones en forma de coditos con salsa de tomate.
Sábado: a la par de bistecs escribo papas horneadas, ensalada y panecillos.

7. Almuerzo. Otra idea *simple* para sacar el mayor provecho de nuestro tiempo es hacer una lluvia de ideas para sus comidas del almuerzo, de la misma manera en que lo hizo para sus cenas. Para encontrar **ideas para almuerzos,** comience por preguntar a cada uno de sus hijos cuáles son sus favoritos, pero asegúrese de que estén solos cuando les vaya a preguntar. Ya que nosotros hemos impartido la educación en casa desde 1989, y hemos trabajado desde el hogar por casi el mismo tiempo, yo siempre he tratado de tener UNA de las "comidas favoritas" de mis hijos al menos una vez a la semana. (Sin embargo, están estrictamente advertidos que no pueden quejarse cuando es el día de alguien más y les toca comer algo que no es particularmente de su agrado).

Si a usted no se le ocurren suficientes ideas de almuerzos que correspondan a sus cenas, simplemente repita los almuerzos que parecen gustarles más a todos. Haga una tarjeta por cada almuerzo y luego empareéjela con la de la cena que corresponda. Una gran cena de carne debería combinarse con un almuerzo de pasta o sin carne. De nuevo, los almuerzos livianos van con grandes cenas O un gran almuerzo va con una cena liviana. Por ejemplo:

Almuerzo del domingo: es nuestro día de comer fuera. Así que para la cena siempre comemos bocadillos de domingo (esas comidas congeladas que los niños aman, pero yo odio. Así que yo simplemente como una ensalada o sobras).

Almuerzo del lunes: es una comida rápida ya que mis hijas y yo hacemos nuestras compras de supermercado.

Almuerzo del martes: es día de hot dogs: cualquier tipo de hot dogs.

Almuerzo del miércoles: es un sándwich de carne: jamón, pollo, ensalada de pollo, atún, carne asada o pavo.

Almuerzo del jueves: es una comida de caja.

Almuerzo del viernes: siempre ha sido nuestro día de sobras, pero cuando mis hijos se cansaron de esto, yo oré y el Señor me guío a darle las sobras de la familia a mi hijo mayor, quien solo las calienta en el microondas. Ahora comemos sándwiches de MMJ (mantequilla de maní y jalea) o de la carne que ha sobrado.

Almuerzo del sábado: no almorzamos. Desayunamos a lo grande muy tarde y luego cenamos temprano.

8. **Desayuno.** Ahora saque el mayor provecho de su precioso tiempo y haga la última lluvia de ideas para los desayunos. Para simplificarlo, yo creé un tema de **desayuno.** Por ejemplo:

Desayuno del domingo: es a elección de cada persona, ya que no todos están listos para la iglesia a la misma hora.
Desayuno del lunes: solo es cereal (no cereal azucarado; ver el viernes).
Desayuno del martes: es un muffin de caja o una mezcla de pan rápido que mi hijo de 13 años hace.
Desayuno del miércoles: es pan tostado ya que nosotros hacemos nuestro pan casero los martes para los sándwiches.
Desayuno del jueves: es cereal caliente o fruta y yogurt durante el verano.
Desayuno del viernes: ha sido cereal azucarado por hace aproximadamente veinte años.
Desayuno del sábado: es nuestro GRAN desayuno familiar. Básicamente alternamos entre bollos de mantequilla, panecillos, panqueques, y tostadas francesas (nuestras recetas están en el siguiente capítulo).

Aquí hay otro ejemplo de cuando vivíamos en nuestra granja:

Domingos: Donas, ¡es el Día del Señor, así que REGOCÍJESE y hágalo especial!
Lunes: Pan tostado (hágalo interesante utilizando distintos tipos de panes como de pasas o de masa agria).
Martes: Cereal (si usted no come cereal todos los días, entonces abra solo una caja a la vez, o dos a lo sumo).
Miércoles: Productos horneados (esto es cuando comemos algo que fue horneado de una mezcla de caja. Haga que alguna de sus hijas jovencitas aprenda a hornear al hacer que ella haga esto para la familia. Cuando reciba los halagos de todos, ¡ella querrá aprender a hornear más y también aprender a cocinar! ¡Esto funciona para los niños también!)
Jueves: Cereal caliente o waffles congelados.
Viernes: Cereal azucarado.
Sábados: Desayuno grande (aquí es donde hago un gran desayuno caliente como mis bollos de mantequilla, panecillos, panqueques y tostadas francesas, junto con tocino o jamón, jugo—¡los trabajos!)

Consejo para el cereal: *Acabo de encontrar un gran consejo para el cereal—una vez más, a través de la oración. Ahora saco la bolsa de cereal de la caja, lo que hace que haya más espacio en la alacena, ayuda a ver cuando en realidad ya solo hay migajas, y también le recuerda a mis hijos a mantener la bolsa bien cerrada.*

Yo arranco la parte superior de la caja (donde aparece el nombre), luego lo sujeto a la bolsa, lo que requiere de dos ganchos para ropa que además hacen que la bolsa permanezca bien cerrada y ¡por lo tanto, que el cereal se mantenga fresco!

Si es posible trate de hacer solo "un gran desayuno una vez a la semana." Si usted está casada, asegúrese de que su esposo esté de acuerdo. Algunos hombres hacen trabajos físicos y necesitan desayunos abundantes, como el esposo de mi vecina cuando vivíamos en la granja. Recuerde ajustar todas mis "recomendaciones" a su familia y a lo que funcione mejor para usted. Si usted escoge un día a la semana para su gran desayuno, ¡trate de no escoger los domingos que es cuando va a la iglesia!

9. Con todas sus comidas planeadas, ¡el resto es tan sencillo! Simplemente hojee sus tarjetas de las cenas, almuerzos y desayunos escogiendo una comida para cada día.

10. El paso final para que usted no tenga que contestar a la pregunta "¿qué hay de cenar?" será escribir sus **comidas *del día siguiente*** en una pequeña pizarra cuando usted termine de limpiar cada noche luego de la cena.

Ahorre más tiempo y estrés y coloque sus ingredientes sobre su mostrador y descongele cualquier carne. Esta simple pizarra me mantiene un paso adelante de cualquier estrés y elimina la posibilidad de que mi familia esté preguntando que habrá de cenar (o para cualquier otra comida).

Al invertir tan solo un poco más de su tiempo, usted puede sacar el mayor provecho de este al hacer un plan mensual de comidas que usted puede utilizar una y otra vez. ¿Por qué no ir al paso número dos?

Nivel 2
Planificación mensual de comidas

Si usted quisiera invertir tan solo un poco más de tiempo, podría incluso eliminar las decisiones semanales y planear su menú para un mes o incluso por más tiempo dependiendo de cuantas ideas de comidas usted tenga. ¡Esto es lo que yo hice la mayor parte de mi vida de casada, lo cual me ayudó a sacar el mayor provecho de mi vida y de mi precioso tiempo! En lugar de sacar las tarjetas cada semana, crear un menú mensual.

1. En su mesa de cocina o mostrador, tome todas sus tarjetas de la cena y colóquelas sobre su mesa como si fuera un calendario (domingo-sábado) por cuantas semanas usted tenga. Recuerde ver las comidas para ver que se ajusta a su horario (comidas fáciles para las noches de deportes o de iglesia: días en los que la mayor parte de los miembros de la familia se encuentran en el hogar para las comidas grandes más agradables).

2. Una vez que las haya dispersado, reorganice las comidas para mantenerlas variadas e interesantes. ¡Usted se sorprenderá de ver como esta pequeña planificación extra le traerá tantos beneficios a usted y a su familia!

Además, asegúrese de incluir esos días de comer fuera. Para determinar qué tan seguido: si su familia, ahora sale *todo el tiempo,* planee al menos dos días de salir a comer fuera por semana. Si usted **nunca** come fuera, como lo mencione antes, hágalo al menos una vez al mes o sus hijos seguramente sacarán a relucir el tema de forma negativa cuando hayan crecido.

Si usted tiene niños pequeños, escoja su día de salir a comer fuera cuando haya ofertas en las que los niños comen gratis o con un descuento. Ofertas especiales hay por todos lados si tan solo usted busca (más acerca de esto más adelante).

3. Organice las comidas con vegetales más cerca del día en el que hace sus compras, seguido de los vegetales congelados/enlatados que usted puede utilizar más adelante. Yo utilizo los vegetales que son frescos (como el calabacín amarillo y el zucchini, alcachofas o

coliflor completa) dentro de los dos días al día de mis compras (al organizar mi pedido de comidas) con los vegetales congelados más adelante.

4. Una vez que sus tarjetas se han terminado y están dispersadas, entonces escriba una lista permanente. También puede pegar en su refrigerador la lista que responderá a la pregunta favorita de todos los tiempos "*¿Qué hay de cenar?*" en lugar de usar la pizarra, lo cual inclusive le podrá ahorrar más tiempo.

5. Para hacer que este sistema sea flexible, simplemente tache todas las comidas que usted termine haciendo y coloque un CUADRO alrededor de cada comida que usted tenga que saltarse. Muchas de nosotras tenemos cosas que surgen de repente y que nos obligan a dejar de hacer una comida que ya hemos planificado. Su horario debería ser funcional para usted y no convertirse en otra carga en su vida. La belleza de saltarse una comida es que usted puede tomarlas todas al final de la semana o al final del mes y hacer que su listado de comidas dure más tiempo.

Mi menú de cuatro semanas (que utilice por más de cinco años) usualmente duraba cinco semanas, ya que de manera frecuente debíamos saltarnos alguna cena por una variedad de razones.

Solo asegúrese de que si la comida que se saltó incluía carne fresca, que esta sea colocada en el congelador o haga la comida con la carne fresca al día siguiente y sáltese (encierre en un cuadro) la comida del día siguiente.

Nivel 3
Haga el listado de los ingredientes
¿Quién preparará las comidas?
¿Cuánto de cada cosa?

1. Para simplificar su vida, siéntese durante otros 30 minutos y haga el listado de los ingredientes en el reverso de cada tarjeta. Yo le doy vuelta de forma longitudinal. Eso funciona bien. Si usted quiere un método más simple, escriba el listado de ingredientes en el día en el

que prepara cada comida por primera vez, y luego añada cosas que usted pudo haber olvidado durante la primera vez. Este paso simple le ayudará inmensamente cuando esté preparando su lista de supermercado, asegurándose de no olvidar nada.

2. Si a su esposo le gusta cocinar o usted tiene un hijo mayor o adulto que puede preparar cualquier clase de comida, anote quién preparará la comida en la esquina *superior izquierda* de su tarjeta de 3x5 y asegúrese de colocar el nombre en su calendario o en su Hoja de Comidas a la par de la fecha.

Además, para ayudar a preparar a sus hijos menores para la etapa adulta, coloque el nombre del niño que le *ayudará* a preparar cada comida en la esquina *superior izquierda* debajo de su nombre.

*Cuando escoja a cualquier niño para cualquier tarea en su hogar, asegúrese **siempre** de empezar con el niño más pequeño o el menos maduro para ver qué tal se maneja. Los padres usualmente utilizan de forma excesiva a su hijo mayor (o hijos) no solo sobrecargándolos, sino que además causan que sus hijos menores se vuelvan mimados, malagradecidos e inmaduros.*

3. Para ayudarla con la **cantidad**, cada vez que usted prepare una comida escriba (con LÁPIZ) qué tanto utilizó para prepararla para ayudarle la próxima vez que la prepare. Si usted se quedó corta, entonces borre y aumente la cantidad. Si usted terminó con una gran cantidad de sobras, entonces disminuya las porciones.

Utilizar sus tarjetas para escribir cualquier información importante, tal como cuantas pechugas de pollo cocinar o cuántos huevos revueltos usted necesitó, le ayuda mucho en cuanto a eficiencia y a disminuir aún más el estrés mental de ser un ama de casa. Mientras su familia crece y sus necesidades cambian, usted fácilmente puede modificar sus tarjetas. Por ejemplo:

Para pollo frito, utilice la mitad de una pechuga de pollo por cada niño y una por cada adulto.

Para hamburguesas, utilice la mitad de una libra de carne molida por persona y un pan por cada uno.

Para ravioles, contar 4 por cada adulto y 3 por cada niño o pequeño comedor.

Para evitar niños gordos o con sobrepeso (y adultos) no sirva "al estilo familiar" poniendo todo sobre la mesa. En su lugar, yo siempre coloco los platos en fila en el mostrador y les coloco una porción en cada plato. ¡Esto también me asegura que todos se están comiendo sus vegetales!

Yo dejó cualquier extra sobre la estufa de modo que si alguien se quiere servir por segunda vez (usted incluida), fácilmente puede ser visto mientras se sirve. Además, mis hijos nunca tuvieron permitido solo ir y agarrar comida de la alacena o del refrigerador. Siempre se les enseñó a preguntar primero, lo cual me ayudó a monitorear no solo que no comieran de más, sino que no comieran en horas cercanas a la cena.

Azúcar

Ya que mi esposo y yo veníamos de crianzas muy distintas, yo no estaba preparada para lidiar con el cereal azucarado que mis hijos querían cada mañana al igual que el que su papi comía. No estoy segura de cómo llegamos a eso y como él terminó accediendo (¡tuvo que haber sido DIOS!), pero hace años, hicimos las mañanas del viernes "¡el día del cereal azucarado!"

A veces es mejor no hacer ciertas cosas un tabú, a menos que usted y su esposo estén en completo acuerdo, si ustedes lo están, agradezca al Señor, ¡porque la mayoría de las parejas no lo está! En su lugar, hágalo un "gusto" o "recompensa." Dios ama bendecirnos, ¡así que esta puede ser un área en la que usted puede bendecir a sus hijos!

Nuestros hijos no se sienten privados, ni son "raros", sino que están aprendiendo a vivir con dominio propio y moderación, en lugar de con excesos, que es la forma en la que el mundo vive. El prohibir es volverse religioso, y esa es la forma en la que comienza la rebelión.

¡Haga el "día del cereal azucarado" un día especial como un lunes, para que se levanten de la cama animados, o un viernes, porque lograron terminar la semana! Esto también va para las gaseosas o sodas o bebidas azucaradas (como sea que les llame). En lugar de eliminarlas, deje que las consuman para ocasiones especiales.

Yo creo que enseñar moderación y control es mejor que prohibir algo completamente. Mis hijos tenían permitido tomar gaseosa con su pizza una vez a la semana. Ahora que ellos saben que las gaseosas causan cáncer de estómago (no solo caries u obesidad en los niños), nosotros escogimos eliminarla por completo y sustituirla por té endulzado una vez a la semana. ¡El resto del tiempo ellos toman mucha agua!

Dese un descanso: salgan a comer

Así como lo mencioné anteriormente en este capítulo, siempre es bueno tomarse un descanso de la cocina, y verdaderamente apartar un día, o inclusive dos, para salir a comer cada semana.

La mayoría de familias están fuera de balance y ya sea comen fuera TODO EL TIEMPO, o nunca comen fuera. Por supuesto, algunas veces es porque su esposo ama las comidas caseras que usted prepara.

Si usted sale a comer fuera muy seguido, muy probablemente es porque usted no está preparada. El método que yo he compartido con usted debería ayudarle, pero como dije antes, no trate de dejar de salir a comer fuera completamente; en su lugar, establezca días específicos para salir a comer y tomarse un merecido descanso.

Algunas veces, nosotras las mujeres necesitamos salir a comer fuera; pero muy frecuentemente, a donde usted va y como pide determina que tan seguido usted siente que puede salir a comer. Debido a nuestra familia grande, nosotros usualmente gravitamos alrededor de los menús de 99¢ que hay en la mayoría de restaurantes de comida rápida, y SIEMPRE hemos **pedido agua**. Antes lo hacíamos debido al costo de 9 bebidas; ahora lo hacemos por cuestiones de salud. No solamente está comprobado que las gaseosas causan cáncer de estómago, sino que además esa cantidad de azúcar disminuye el funcionamiento del sistema inmune hasta en un 50%. Si mis hijos fueran a tomar una gaseosa de vez en cuando, yo preferiría que ellos la consumieran en casa para no contagiarse de enfermedades afuera y además que un litro entero de gaseosa cuesta lo que costaría una sola bebida en un restaurante.

Asimismo, cuando todos ellos eran pequeños, yo siempre les daba un par de opciones de lo que ellos podían pedir. Además íbamos a los lugares en los que los niños comían gratis, especialmente cuando teníamos tantos menores de 10 o 12 años.

Hay muchas cadenas nacionales de comida rápida y restaurantes locales que quieren atraer a las familias, así que ofrecen comidas de niños gratis o a precios muy bajos. Yo las veo todo el tiempo en rótulos. Llame a los restaurantes en su área para ver si tienen alguna Noche de Niños. Asegúrese de averiguar qué día, la hora a la que empieza, las edades (sea extremadamente clara en cuanto a este punto), y si las bebidas están o no están incluidas. Yo he pedido solo agua para mis hijos cuando ellos hubieran podido tomar una soda (un verdadero gusto).

La solución más sabia es averiguar todo esto *por teléfono* para que usted no se vea tacaña o para que no pare comiendo en un restaurante la noche equivocada, ¡a mí me ha pasado! Entonces escriba todos los detalles en su tarjeta de 3x5 para cada restaurante. ¡Con un lápiz, anote lo que a los niños les gustaría pedir! Esto es útil cuando usted los lleva a pasear o especialmente si la abuela o papá quieren invitar a los pequeños a comer.

Capítulo 11

Sacando el mayor provecho de las

Compras de mercado

Creando una lista personalizada

Muchas personas hacen una nueva lista cada vez que tienen que salir corriendo a la tienda, o puede ser que utilicen una lista estándar impresa que viene junto con algún organizador, lo cual tiene un poco más de sentido. Con tan solo un poco de tiempo invertido, usted puede crear una lista de abarrotes profesional, eliminando la necesidad de estar quebrándose la cabeza cada semana. Incluso utilizar una lista estándar requiere de energía mental para llenar los espacios con aquello que su familia necesita, lo cual usualmente resulta en artículos olvidados, ¡y que luego conlleva a tener que correr rápidamente a la tienda justo antes de la cena!

Además, las listas que usted hace o la variedad estándar no incluyen los pasillos en donde estos artículos están localizados. Con una lista personalizada, nos podemos mover a través de la tienda ahorrando la mitad del tiempo que usualmente utilizamos y eliminamos tener que volver a pasar por los mismos lugares cuando se nos olvida algo de un pasillo en particular. ¡Hay una forma más sencilla!

1. Cree una lista de abarrotes profesional caminando a través de su supermercado, solo una vez, con un portapapeles. Camine de arriba a abajo a través de los pasillos, escribiendo los artículos que usted compra de cada lado del pasillo. Anote el número de pasillo.

¡Haga su lista cuando usted no esté en la tienda comprando sus abarrotes!

2. Vaya a casa y pase su lista a la computadora (o escríbala a mano) y saque copias. No imprima las listas de un año ya que (cada vez que compre) usted verá cosas que se le pasaron o que usted desea cambiar en su lista. Haga listas suficientes como para un mes y adhiéralas a su portapapeles para poder colgarlo en algún lugar conveniente: cerca de su escritorio, en su cocina o quizás en su lavandería.

¡Esta media hora invertida le ahorrará una docena de horas de compras y horas de quebrarse la cabeza cada vez que tenga que ir al supermercado!

3. Utilice esta lista cada semana leyendo los ingredientes que usted ha anotado en el reverso de sus tarjetas de comidas de 3x5 y *resalte* su lista con los artículos que necesita. Para asegurarse de que usted no se quede sin ningún ingrediente, vaya revisando su lista impresa y *marque con una x* lo que usted no necesita esa semana y resalte todo lo demás que usted vea que necesita.

4. Luego de realizar las compras, guarde la lista de cada semana al final del portapapeles y utilice estas para actualizar su lista de forma periódica con las cosas que usted ya no utiliza y agregue aquellas que usted puede haber empezado a utilizar. *¡Yo tenía pañales en mi lista durante casi un año después de que yo ya no tenía un bebé en pañales!*

5. En lugar de correr al supermercado, o quedarse sin artículos, *escoja* un día cada semana para hacer sus compras. Intente escoger un día en el que usted no esté muy ajetreada (nunca planee algo que usted no tenga que hacer en un día lunes). Los fines de semana o después de las 5 p.m. son los días más ocupados en los supermercados, así que si usted puede evitar estos días y horas hará que sus compras sean más fáciles.

Si a usted le gustan las gangas, vaya al supermercado temprano por la mañana (cuando su familia aún está durmiendo). En la mayoría de tiendas, alrededor de las 6–7 a.m., usted puede dirigirse al mostrador de las carnes y obtener carnes a un *precio **reducido.*** Yo compro la carne más cara, como el solomillo, por menos de lo que me cuesta la carne molida más barata. (Si usted no es una persona mañanera, vaya al supermercado temprano por la mañana solo una vez al mes y súrtase de sus carnes.) Otro beneficio adicional de ir de compras temprano es que siempre está menos concurrido. Si usted no puede ir tan temprano, más tarde por la mañana también es una buena hora. Solo trate de no ir *nunca* al supermercado los fines de semana o después de las 5 p.m. entre semana.

Consejos para las fiestas

Aproveche las fiestas como Halloween, Navidad, el Día de San Valentín y Pascua, y "reparta el botín" "...¡Y la que se queda en casa repartirá el botín!" (Salmos 68:12).

El día después de cada fiesta, lo primero que hacemos por la mañana es ¡ir al supermercado y comprar dulces o decoraciones con un 50–75% de descuento! Los dulces de chocolate duran por meses en el congelador y usualmente alcanzan de una fiesta a la siguiente. Esto es perfecto especialmente porque de forma frecuente los dulces más caros son los que sobran, ¡pero son menos caros que los dulces baratos si usted los compró solo un día antes!

Yo también compro mi papel para regalo, listones, moñas y etiquetas el día después de Navidad y lo guardo en mis cajas de Navidad para el año siguiente. Además, trato de encontrar papel para regalo, bolsas para regalo u otras decoraciones (como platos de papel) que no se vean como de alguna fiesta en particular y los utilizo para los cumpleaños.

En octubre, muchas de las cadenas de comida rápida ofrecen cuponeras por tan solo un dólar para quienes celebran Halloween. Durante muchos años vivimos en medio de la nada, y antes de eso tuvimos un pastor alemán en nuestro jardín, ¡lo cual significaba que a nuestra casa no venían a pedir dulces! Un año, yo compre una cuponera de un dólar para 12 órdenes de papas fritas y las utilizamos después. Ahora, es una tradición. Algunas cadenas de hamburguesas ofrecen papas fritas; otras ofrecen helados en cono, galletas, o papas fritas.

Vea la fecha de vencimiento. Algunos pueden utilizarse hasta finales de noviembre; otros pueden utilizarse hasta finales de año.

Con bolsas de papas fritas por menos de diez centavos, junto con hamburguesas de 99¢, ¡usted no puede hacer que sea más barato que eso en casa! Esto puede resultar de utilidad con todo el bullicio y ajetreo de las fiestas. ¿Acaso no es bueno Dios?

Consejos acerca de las listas

El método indicado arriba es la manera en la que yo mantengo mi hogar abastecido con comida y con artículos para el aseo que mi familia necesita; sin embargo, también utilizo la pizarra como una forma en la que entre la familia nos podemos comunicar cuando algo se nos ha terminado.

Coloque su pizarra a un lado del refrigerador o en su área de lavandería. Al percatarse usted, su esposo o sus hijos de que algo se ha acabado o que necesitan algo, simplemente escríbalo en su pizarra. Nuestros hijos mayores son muy atentos al llamar a casa y preguntar que está escrito en la pizarra para ver si ellos pueden pasar comprándolo por mí antes del día en el que usualmente hago mis compras.

Consejos acerca de dónde comprar

Si a usted le gusta ahorrar dinero, escoja una tienda en la que usted empaque sus compras por sí misma. A mí no solo me gusta ahorrar dinero, sino que además me gusta organizar mis bolsas de acuerdo a como los artículos van colocados en mi cocina para ahorrar tiempo al llegar a casa.

Si usted tiene varios lugares en los cuales compra, como ir a una panadería de descuento, vaya a estos lugares de primero de serle posible. Incluso Sam's Club puede que no tenga lo que está escrito en mi lista

Consejos para su día de compras semanal

Hacer mi lista y comprar en un solo día abarcaba mucho de mi tiempo, requería mayor esfuerzo y usualmente yo me sentía apurada. Así que algunos años atrás yo dividí la tarea en *dos* días. ¡Esto hizo toda la diferencia del mundo! Ahora tomo más tiempo y esfuerzo para asegurarme de que todo esté incluido en mi lista. Además me di cuenta que rara vez omitía artículos que necesitaba.

Con una nueva lista impresa, vaya a su pizarra y anote en su lista con un resaltador todos los artículos detallados, y luego bórrelos.

A continuación, utilice su lista impresa revisando su alacena y su refrigerador contra los "ingredientes necesarios" para ese menú semanal.

Si usted utiliza cupones, coloque una "C" al lado de cada artículo y luego adhiera los cupones a su portapapeles. Esto le ayuda a asegurarse de que está escogiendo el artículo correcto que está siendo ofertado y que usted le entregue los cupones al cajero.

Para los días más calurosos del verano, yo invertí en hieleras y en loncheras tipo hielera para trasladar a casa de forma segura mis comidas congeladas y refrigeradas.

También ayuda tener un par de canastas de lavandería rectangulares en su baúl para colocar adentro las bolsas plásticas de sus compras, lo que le ahorrará tiempo y esfuerzo al bajarlas cuando llegue a casa. De la misma manera, le ayudará a prevenir que los artículos se derramen mientras maneja a casa.

Incluyendo a sus hijos

Si usted quiere hacer de esto una "experiencia de aprendizaje" para su hijo, dele un portapapeles junto con un lápiz y los cupones mientras usted empuja el carrito. Haga que su hijo le diga el siguiente artículo que usted buscará y la marca o requerimiento (compra dos y lleva uno gratis) del cupón.

Si usted tiene otros hijos, deje que sean ellos quienes busquen el artículo y lo coloquen en el carrito. Haga que sus ayudantes le entreguen los cupones al cajero y asegúrese de que sus hijos vacíen el carrito de compras.

Al vaciar el carro en un día de compras, mi familia ha sido enseñada que debe ayudar. Ellos colocan todas las bolsas en el mostrador o la mesa, y una vez que el carro está vacío, ellos sacan toda la comida de las bolsas. Los niños mayores (o yo) colocan la comida en la alacena en el orden apropiado. Yo tengo una repisa etiquetada para el cereal, para los chips, para la comida enlatada, para hornear, etc.

Si usted tiene varios niños que pueden ayudar, reparta esta labor para mayor eficiencia y rapidez. Yo ponía al más alto a guardar las bebidas gaseosas y los chips que iban en la alacena arriba del refrigerador. Mi organizada hija guardaba las comidas enlatadas, siempre cuidando de colocarlas en el orden apropiado, con las etiquetas mirando hacia adelante. Otro niño guardaba los artículos refrigerados, y el chico que siempre estaba apresurado guardaba las cosas que iban en el congelador. El niño más pequeño recolectaba todas las bolsas plásticas desechadas.

Prepare de antemano

Si usted cocina su carne molida cuando usted llega a casa del supermercado, no solo estará lista para incluirla en una comida, sino que además sabe más fresca y puede ser guardada durante más tiempo en el refrigerador sin que se arruine. (En una ocasión yo le pague a uno de mis hijos para hacer esto. Él necesitaba el dinero y yo odiaba este trabajo en particular.)

La carne molida ya cocinada también se mantiene bien en el congelador; utilice bolsas plásticas zip lock para ahorrar espacio y para evitar comprar muchos contenedores plásticos. Recientemente tuvimos una fiesta en la que servimos tacos. Yo cociné carne extra adrede para asegurarme de que no hiciera falta, y además porque sabía que podía utilizarla más adelante. Ya que cociné la carne cuando estaba fresca, yo pude meter en una bolsa la carne ya sazonada que sobró y tener el equivalente a tres cenas en mi congelador, ¡me encanta!

Haga su pastel de carne, vierta la salsa sobre sus costillas en barbacoa, haga su lasaña, y colóquelas en su refrigerador. Esto no solo hace más fácil el día de cocina; sino que además realza el sabor de sus comidas.

¡Gozo!

¡Lo más importante que usted puede hacer es *disfrutar* el trabajo que Dios le ha dado y buscar "gozo" en el mismo! Al estar preparada y mantenerse un paso adelante de esta muy importante tarea de comprar y preparar las comidas para su familia, usted estará menos propensa a odiar el trabajo. Cualquier cosa en la que usted sea buena, usted la disfrutará. Por la otra parte, las cosas contra las cuales lucha en su vida, no puede evitar odiarlas.

Una vez que usted utilice este capítulo para dominar esta tarea, comience a disfrutar el reto de preparar cosas divertidas de maneras divertidas. Corte sus sándwiches en formas especiales con un cortador de galletas. Si sus hijos detestan las orillas, ¡corte diferentes formas en el centro, y luego tome las orillas y enróllelas en un "wrap" que ellos se comerán!

En el verano, para los almuerzos compre canastos plásticos para hamburguesas o simplemente para hacer una divertida cena de hamburguesas. Colóquele un mamón a la canasta para hacer un postre divertido.

Tal y como lo mencioné en el último capítulo, evite que sus hijos coman de más y ahorre en "trastos para servir", en lugar de colocar su comida sobre la mesa "estilo country," alinee sus platos en el mostrador en orden de edades, y sírvale a cada niño las porciones apropiadas. Incluso los esposos comerán menos y mantendrán su peso bajo con este método. Y si alguno quiere "repetir," tiene que hacer el esfuerzo (y llamar la atención) al ir de regreso a la cocina o a la estufa.

Con sus comidas y sus compras organizadas, usted ahora puede encontrar placer al crear comidas deliciosas, nutritivas, divertidas y gourmet.

Finalmente, asegúrese de poner la mesa temprano en el día y de arreglarla bonita, divertida e invitadora para su familia. ¡Eso les mostrará cuánto realmente a usted le importa!

—— Capítulo 12 ——

Sacando el mayor provecho de su

Horno

Deliciosos manjares para el desayuno

No hay nada que usted pueda aprender o enseñar a sus hijas que le traiga mayores cumplidos y satisfacción que aprender a hornear desde cero. Yo tengo que reírme acerca de cómo cada hogar necesita tener este tipo de arte en la cocina con accesorios de acero inoxidable, ¡sin embargo la mayoría de chicas hoy en día no tienen ni idea de cómo cocinar u hornear! ¡Es una locura!

Ya que yo también era una de estas chicas locas que no sabía cómo cocinar y que nunca en su vida había horneado algo antes de estar casada (lo cual inclusive incluía una caja de premezcla), yo aprendí lo fácil que realmente era y lo increíblemente satisfactorio que es. Es por ello que le enseñé a mis hijas a hornear a una edad temprana, lo que conllevó a que ellas quisieran cocinar.

Cuando usted piensa en ello, la educación no es tan importante como aprender y dominar algo que usted va a hacer todos los días, incluso hasta tres veces al día. Lo comprado en tiendas (como mi fallecida bisabuela Brown solía llamarle) para nada sabe igual que lo que se cocina desde cero. Lo preparado o las cajas de mezclas no son mucho mejores; sin embargo, para algunos manjares horneados sí resultan ser mejores que los que se cocinan desde cero: los pasteles y la pasta de las tartas para ser específica.

La receta para el tarta incluida en este capítulo fue mi primer éxito al hornear, lo cual me dio el valor de seguir probando nuevas cosas. El Señor estuvo conmigo (y dándome los deseos de mi corazón) en una cita de noche, cuando aún estaba casada, y mi esposo se topó con un libro de recetas de listón azul en una gran librería. Estaba lleno de postres horneados que habían ganado el listón azul en la feria estatal. ¡Yo los cambié tan solo un poco al hacerlos un poco más dulces!

El resto de recetas que estoy compartiendo son aquellas que las mujeres me han estado dando durante los años mientras les confesaba que yo no podía hornear. Damas, ahora soy conocida por mis deliciosos postres horneados. Por lo tanto, cualquiera de ustedes, tan solo siguiendo la receta, puede bendecir a su familia y amigas. "Sus hijos se levantan y la llaman bienaventurada, *también* su marido, y la alaba *diciendo*: Muchas mujeres han obrado con nobleza, pero tú las superas a todas" (Prov. 31:28-29).

Los panqueques de mantequilla de Erin (y waffles)

Cada vez que hago estos panqueques, yo obtengo muy buenos comentarios. La misma mujer que me ayudó a hornear mi primer tarta, me dió esta receta, pero era para panqueques de harina de trigo integral. Esta rinde bastante como para alimentar a una familia o para usar como un desayuno rápido durante una semana ocupada. Pueden ser recalentados en el microondas, ¡pero saben mucho mejor cuando se ponen en el tostador por un breve momento!

2 tazas de harina
2 tazas de mantequilla
2 huevos
2 cucharadas de aceite
1 cucharadita de bicarbonato de sodio
1 cucharadita de polvo de hornear
1 cucharadita de sal
1 cucharadita de vainilla

Es tan fácil. Se ponen todos los ingredientes en un recipiente para mezclar con la batidora en lento y luego en rápido. Una vez que está completamente mezclado, no vuelva a mezclarlo. Cocine en una plancha a 350° (180 °C). Esta masa puede echarse en una waflera para hacer waffles ligeros y crujientes (si los quiere más densos incremente el aceite). Yo usualmente hago una masa extra y utilizo lo que me sobra para hacer waffles para mantener en el congelador para solo sacarlos y meterlos en el tostador.

Desde que nos mudamos a Missouri, he tenido que agregar más líquido para la consistencia que le gusta a mi familia. Si a usted le gustan más "pastosos", use menos líquido. Si a usted le gustan delgados, use más líquido.

También me percaté que tenía panqueques más livianos cuando utilizaba harina con levadura por ¼ de la harina. Utilice harina sin blanquear para obtener un sabor más natural y sabroso, o utilice harina orgánica para obtener el mismo delicioso sabor, que es la que yo utilizo actualmente.

Variación de Panqueques: Para hacer panqueques suecos: remueva un cuarto de la harina y añada un huevo extra; son más delgados y saben un poco más a "huevo."

¡Para un verdadero manjar, con la segunda mitad de la masa yo hago panqueques con chispas de chocolate! ¡¡Mis hijos hablan de ellos con sus amigos con gran entusiasmo!! A mí me gusta utilizar las "mini" chispas de chocolate. Cuando usted ya haya hecho todos los panqueques simples que usted quiera, entonces agregue algunas chispas de chocolate a la masa y dóblelos. ¡Estos también son mis favoritos!

Para waffles: Yo había escuchado que necesitarían más aceite, así que experimente con ellos. Con mi nueva waflera belga la mejor consistencia, creo yo, es cuando el porcentaje de aceite se queda igual. Salen un poco crujientes por fuera pero suaves por dentro. Sin embargo, en mi antigua waflera, salían muy crujientes. Compruebe esto por sí misma; mantenga todos los demás ingredientes igual, ¡solo varíe una cucharada de aceite e increméntela de acuerdo al gusto de su familia!

Bollos de mantequilla que se derriten-en-su-boca

No se puede vivir en el Sur sin saber cómo preparar unos buenos bollos. A mí me encantaban los bollos, y los pedía cada vez que salíamos. ¡Después, aprendí a hacer los míos! Ahora ya no disfruto comer los de alguien más. Estos le darán muy buenos comentarios.

Una noche, nos pidieron que lleváramos algo para una reunión de escuela en casa. Yo hice un montón de estos bollos. Una mujer vino a nuestra mesa a preguntar por qué mis hijos se habían escabullido a la fila del buffet y estaban escondiendo algo debajo de sus servilletas. ¡Cada uno de ellos había tomado dos bollos a escondidas antes de que cualquier persona pasara a servirse! ¡Sin necesidad de decir más, ella (y la mayoría de las madres allí) me rogaron por mi receta!

En otra ocasión, mi segundo hijo, Axel, solía ayudar a recoger los productos horneados del día anterior de una panadería local para dárselos a los pobres. Un hombre mayor lo recogía muy temprano en la mañana para realizar la tarea. Una mañana, yo me levanté temprano e hice una masa de estos bollos y un delicioso café (le daré el secreto para un delicioso café luego de los panecillos abajo) para que compartiera con su conductor ya anciano. A la semana siguiente, mi hijo entró en pánico cuando se percató de que este señor estaba sentado afuera casi una hora antes de lo que habían programado irse, ¡todavía estaba oscuro! ¡Él estaba esperando los bollos y esta vez trajo su propia taza para mi café!

2 tazas de harina
1 cucharada de polvo de hornear
1/4 de cucharadita de bicarbonato de sodio
3/4 de cucharadita de sal
1 cucharada de azúcar
1/3 de taza de manteca

Precaliente el horno a 450° (230 °C). Tamice la harina, el polvo de hornear, el bicarbonato de soda, la sal y el azúcar. Utilizando un ablandador de masa de mano, corte la manteca hasta que la mezcla se asemeje a migajas gruesas. Haga un pozo (u hoyo) en los ingredientes secos para contener el líquido y añada la mantequilla. Utilizando un tenedor, mueva rápidamente la masa hasta que esta siga al tenedor alrededor del tazón. (¡Si usted hace grandes cantidades como yo, entonces utilice un tenedor de servir grande para que sea más fácil de mezclar!)

Coloque la masa en una superficie ligeramente enharinada. Amase **suavemente** de 10-12 veces. (Si usted amasa en exceso los panes rápidos, puede que luzcan muy bien, pero quedarán como hule. Así que NO amase en exceso los bollos, los panecillos o el pan de soda, cualquier pan rápido.) Extienda la masa dejándola con un grosor aproximado de 1/2 pulgada (puede usar un rodillo para hacer que el grosor quede más uniforme).

Inserte un cortador de galletas redondo (o utilice la parte superior de un vaso, como hacía mi madre) en la harina a cada pocos cortes. Corte la masa hacia abajo; no gire el cortador.

Colóquelos con una distancia de una pulgada entre cada uno en una bandeja para hornear sin grasa. Hornéelos en el horno precalentado alrededor de 12-15 minutos a 450° (230 °C) o hasta que luzcan levemente dorados en la parte superior. (Si alguna vez resultarán blandos por dentro, puede ser porque están muy gruesos, así que solo hágalos más delgados la próxima vez).

Panecillos escoceses

Encontré esta receta en una revista hace muchos años. Mi familia se enamoró de ella. Una noche, conocí a una mujer de Escocia, y ella me rogó por esta receta. Al parecer su esposo, un americano, estaba decepcionado de que ella no pudiera hacerle panecillos escoceses. Unas semanas más tarde, cuando entré en la tienda donde ella trabajaba, pensé que iba a saltar sobre el mostrador cuando me vio. ¡Ella me dijo que esta receta cambió totalmente su matrimonio, y que ahora está casada con "el hombre más feliz sobre la faz de la tierra!" Sin embargo, unos meses después, ¡ella me contó que él había subido unas cuantas libras!

2 tazas de harina
2 cucharaditas de polvo de hornear
1/4 de cucharadita de bicarbonato de sodio
1/2 cucharadita de sal
2 cucharadas de azúcar

1/3 de taza de manteca(6 cucharadas en rodajas finas)
3/4 de taza de mantequilla

1 huevo grande, ligeramente batido
Un poco de leche para la parte superior

Combine los primeros cinco ingredientes; después, corte la manteca con un cortador de pasteles hasta que esté muy fina. Agregue la mantequilla, la leche y el huevo. Revuelva con un tenedor hasta que esté húmeda. Amase solo **cinco** o **seis** veces (no más). Divida la masa a la mitad y forme un círculo con cada mitad. Corte cada círculo en ocho (tipo pizza) rodajas con un cuchillo filoso que usted sumerja continuamente en harina. Colóquelos a una pulgada el uno del otro en una bandeja de galletas ligeramente engrasada. Con una brocha aplíqueles leche y espolvoréeles azúcar encima. Horneé a 425° (220 °C) por 12-15 minutos. ¡Sírvalos calientes!

*Si usted tiene mi receta de una edición previa, usted puede notar que no dije nada acerca de tener la mantequilla MUY fría, lo que yo había escuchado que hacía toda la diferencia en el mundo en cuanto a la textura. Esto hacía que el proceso de cortar fuera MUY difícil, así que en realidad no me gustaba hacer estos panecillos. Luego, mientras oraba un día acerca de una manera de cortarlos de manera más fácil, el Señor me hizo que probara suavizar la mantequilla. Damas, ¡ni mi familia ni yo pudimos notar o sentir ninguna diferencia! ¡Ahora son tan fáciles de hacer como los bollos de mantequilla! ¿Acaso no es maravilloso Dios cuando lo buscamos para las respuestas a nuestros dilemas?

Pastel de café durante la noche

Durante cada Pascua, en vez de celebrar con huevos y el conejo, nosotros tenemos el Desayuno Aleluya, ¡Jesús ha resucitado! Yo hago esto la noche antes. ¡Es simplemente delicioso!

También comemos pavo para la cena de Acción de Gracias. Le agradecemos al Señor por haber muerto en la cruz, y le agradecemos a Dios por haber enviado a Su Hijo. Estamos muy ocupados para hacerlo el Domingo de Pascua este año, así que celebraremos nuestro Desayuno Aleluya durante el sábado.

2 tazas de harina
1 taza de azúcar
1/2 taza de azúcar morena empacada firmemente
1 cucharadita de bicarbonato de sodio
1 cucharadita de polvo de hornear
1/2 cucharadita de sal

---

1 taza de suero de leche
1/2 taza de mantequilla (1 barra y 2 cucharadas)
2 huevos grandes

1/2 taza de azúcar morena empacada firmemente
1 cucharadita de canela

Combine los primeros seis ingredientes; luego, añada el suero de leche, la mantequilla y los huevos. Bata a velocidad suave con una batidora eléctrica hasta que estén humedecidos; bata a velocidad media durante tres minutos. Vierta la masa en un molde engrasado y enharinado de 13x9x2. Combine los últimos dos ingredientes y espárzalos encima de la masa con su mano. Cúbralo y refrigérelo durante la noche. Destápelo y hornéelo a 350° (180 °C) por 30–35 minutos o hasta que un palillo de madera salga limpio al insertarlo en el centro. Sirva tibio.

Pan de soda australiano

Esta es básicamente una receta de un bizcocho grande de "allá". Damas, es tan FÁCIL, ¡solo lleva tres ingredientes!

Corte dos barras de mantequilla o de margarina en seis tazas de harina con levadura con un ablandador de masa hasta que quede quebradiza. Añada una taza de suero de leche y revuelva con un tenedor hasta que se humedezca. Amase tres–cuatro veces (no más). Corte la masa a la mitad y forme dos trozos redondos. Corte una "x" en la parte superior de ambos con un cuchillo de carne. Aplíqueles leche con una brocha y espolvoréeles azúcar encima. Hornee a 425° (220 °C) por 25–28 minutos hasta que estén un poco dorados. Sírvalos calientitos con mermelada.

Consejo: Cuando vaya a limpiar la harina de la superficie después de que haya terminado de amasar, utilice un trapo SECO o una toalla de papel para una limpieza fácil. Mueva el basurero a la par del mostrador y limpie. Seguidamente, pásele un trapo húmedo.

Consejo: Cuando esté lavando cualquier cosa que sea grasosa, límpiela lo más que pueda con una toalla de papel (o la servilleta más barata). La grasa es lo que tapa los drenajes y si usted tiene una fosa séptica, la grasa impide que la comida sea absorbida por la tierra.

Tostadas francesas

Yo compro las rodajas francesas largas que ya vienen parcialmente partidas en diagonal, pero cualquier tipo de pan funcionará.

Revuelva tres huevos
3/4 de taza de leche (hágalo con suero de leche a veces para un sabor diferente)
1 ½ cucharadita de vainilla

Remoje y cocine en una parrilla "engrasada" a 350° (180 °C). Yo rompo la mitad del papel que envuelve la mantequilla y la paso sobre la parrilla caliente. ¡Le da un sabor tan delicioso!

Al utilizar diferentes tipos de pan, usted puede hacer muchos tipos de tostadas francesas diferentes. ¡Mi favorita es cuando utilizo pan de canela y pasas y a mi familia le gusta la tostada tipo Texas (simplemente es pan blanco de mayor grosor) e inclusive el pan blanco simple!

Espolvoréele azúcar en polvo en la parte superior para una bella presentación o azúcar de canela para un sabor diferente.

Delicioso café

Cuando quiere ser una buena anfitriona, es importante que usted sepa hacer buen café, ya sea que usted tome o no tome. La bisabuela Brown trató de ocultar que yo necesitaba ayuda con mi café durante una de sus visitas anuales antes de que falleciera. Una vez que entendí el indicio, le dije, "¡Abuela, por favor dígame qué hacer!" Esto es lo que ella me dijo.

Primero, asegúrese de que su cafetera siempre se mantenga limpia. Si se utiliza a diario, límpiela una vez al mes vertiendo vinagre seguido de dos partes de agua alcalina.

Luego, asegúrese de que el sabor no sea muy fuerte, ni muy suave, sino que sea "el correcto." Mida una cucharadita redonda de cocina por cada taza de café. Nosotros recientemente compramos una cuchara para café que equivale a 3 cucharaditas llenas de café.

*Sin embargo, ya que el café se ha vuelto tan popular con el expreso y con los cafés más oscuros y ricos siendo más populares, yo comencé a DUPLICAR esta receta.

Ahora, para el secreto final, esto fue cuestión del Señor. Nosotros acostumbrábamos a tener unas reuniones de células en nuestro hogar cuando aún vivíamos en California. ¡Nuestro grupo tenía a dos adictos al café! Yo estaba totalmente desprevenida para nuestra primera reunión. Yo rápidamente me percaté de que me estaba quedando sin café regular. Luego de haber orado, yo pensé que podía "multiplicar" el café regular al mezclar la mitad de regular y la mitad de descafeinado juntos. ¡Todos se volvieron LOCOS! ¡El grupo se tomó todo el café que tenía en casa esa noche!

Comencé a comprar una lata de cada uno (descafeinado y regular) y a mezclarlos juntos, hasta que me percaté que las compañías cafeteras hacen 1/2 y 1/2 ahora (la mitad descafeinado). Si usted está comprando su café y mezclándolo, solo asegúrese de que compre de dos diferentes marcas cuando elija su café descafeinado y su café regular. Yo guardo mi café en el congelador para mantenerlo fresco luego de abrirlo.

Después de esa noche, yo les he dado este secreto para un delicioso café a mis amigas. ¡Aquellas que han seguido los pasos arriba señalados, vuelven para decirme todos los cumplidos que ahora reciben por su café!

Consejo: La abuela Brown también me hizo comprar nuevos paños de cocina. Yo acostumbraba utilizar los gruesos (tela de toalla) que eran para secar las manos, no los trastos. Los paños de cocina son muy delgados y no dejan mota. ¡Yo compré un puñado de estos hace años en un almacén de mayoreo y me duraron por años!

Capítulo 13

Sacando el mayor provecho de su

Horno parte 2

Impresionantes y deliciosos postres

Delicioso pie de manzana de masa gruesa

Tal y como lo compartí con ustedes anteriormente, este fue mi primer intento de hornear con la ayuda de una amiga. Así que lo estoy colocando al principio del capítulo para que usted, también, agarre valor y confianza para comenzar a hornear desde cero.

1 paquete de corteza para tarta marca Pillsbury (estas no son las cortezas que ya vienen en un molde para tarta. Estas vienen en un envoltorio plástico. Las puede encontrar en la sección de refrigerados de su supermercado, usualmente junto a la mantequilla)

5 manzanas grandes Granny Smith (verdes y ácidas)
1 taza de azúcar
2 cucharadas de harina
1/4 de cucharadita de sal
2 cucharaditas de canela
1/4 de cucharadita de nuez moscada
4 cucharadas de mantequilla

Remueva la cáscara y el centro de las manzanas con un cuchillo.

¡*La primera vez que intente hacer esto, tuve que utilizar un "pelador" para pelar las manzanas! Quizás solo estaba nerviosa, ¡riéndome en voz alta! En ese entonces me dijeron que los peladores solo funcionaban para pelar patatas y otros vegetales; sin embargo, ahora que veo todo tipo de shows de cocina, he visto a grandes chefs utilizar un pelador. Si usted tiene televisión, ¡vea algunos de estos programas para ver lo fácil que es y para aprender cómo hacer más cosas en relación a la cocina!

Rodaje las manzanas muy finamente para mayor sabor y suavidad. Mezcle los cinco ingredientes secos. Siga las instrucciones de la caja de la corteza del tarta para preparar la misma.

Coloque las manzanas en capas al fondo de la corteza, y espolvoree la mezcla de ingredientes secos en cada capa hasta que toda la mezcla seca cubre todas las manzanas. (La primera vez que hice esto, yo espolvoreé la mezcla de la misma manera en la que espolvoreo azúcar en el cereal de mis hijos, escasamente. Mi amiga se rio y me dijo que tenía que echar *toda la mezcla* encima de las manzanas, entonces, allí entendí.) Ahora coloque las cuatro cucharadas de mantequilla en rodajas encima de las manzanas y cubra con la parte superior de la corteza, luego ciérrela con sus dedos con pequeños pellizcos. Haga pequeños cortes en la parte superior de la corteza y aplíquele leche con una brocha para hacer que esta brille. Hornee en el horno precalentado a 400° (200 °C) por 50 minutos.

Mi hija, Tyler, hizo docenas de tartas cuando vivíamos en nuestra granja utilizando manzanas Jonathan de nuestro árbol. Las sacábamos en la mañana a que se descongelaran y las horneábamos de la forma usual. Eran simplemente maravillosas, ¡incluso aquellas que tenían más de un año, después de que nos mudamos, estaban deliciosas!

Tarta de manzana francés

Para tarta de manzana francés, simplemente no le coloque corteza en la parte superior y espolvoree la mezcla de canela de la receta del "Pastel de Café Durante la Noche" (del capítulo anterior). Hornee por el mismo tiempo y temperatura que el tarta arriba.

Cobblers

Yo mantengo a mano cortezas de tarta pre-hechas (vea arriba) en mi congelador y algún relleno para tarta (en latas) en mi alacena. Simplemente enharine bien la corteza de tarta pre-hecha y colóquela en un molde para tarta. Ahora vierta el contenido de una lata de relleno para tarta en el centro y jale para arriba los lados "tratando" de cerrarlo con los dedos, cubriendo la parte superior (deje un pequeño agujero). Espolvoree con azúcar (y canela si el relleno es de manzana) y hornee en un horno precalentado a 400° (200 °C) por 20–30 minutos. Sírvalo caliente con una cuchara y acompáñelo con helado de vainilla—¡fácil y delicioso!

**Esta es una gran receta para enseñarle a las jovencitas, ya que es muy fácil y prácticamente infalible.

¡¡Galletas!!

Las galletas son el postre *favorito* de mi familia. Mi exesposo solía ser nuestro cocinero de galletas y después yo me hice cargo. Después, mi hija mayor se hizo cargo de hornear nuestras galletas y rápidamente se convirtió en nuestra más famosa y solicitada panadera. Luego, mi segunda hija tuvo esta tarea hasta hace poco que mi hija más pequeña, quien comenzó a hornear a los 10 años, ¡tomó la tarea y le encanta! Muchas tardes todos le pedimos "haz galletas esta noche, ¡por favorrrrrr!"

Como lo dije antes, las galletas o cobblers parecen ser la mejor forma de enseñar a nuestras hijas a cocinar. Siempre comience con hornear, ya que es mucho más fácil mezclar y hornear algo que aprender a regular una hornilla o una llama. Pero creo que la razón principal por la que esto funciona tan bien es porque casi todos aman los postres hechos en casa; por lo tanto, su hija obtendrá críticas favorables instantáneamente (si no las obtiene, ¡asegúrese de decirle a su familia que "hagan un alboroto," si quieren seguir teniendo postres horneados de nuevo!) Esto le da la seguridad y la motivación para aprender a hornear más (para obtener atención y cumplidos), ¡lo cual conllevará también a que sea una gran cocinera!

Consejos para hacer galletas

Mantequilla derretida: Meta la mantequilla al microondas para todas sus recetas de galletas, mientras ordena todos sus ingredientes. Mi exesposo acostumbraba a dejar la mantequilla afuera y esperaba que se suavizara de la misma manera que lo hacía su abuela y su madre. Debido a que mi madre no horneaba, yo nunca supe de qué manera hacerlo mejor, así que metía la mía al microondas hasta que la mantequilla estaba derretida. Todos deliraban por mis galletas, así que le enseñe a mi hija a hacer lo mismo. En nuestro microondas, toma un minuto derretir cada barra.

Organizando sus ingredientes: Damas, yo coloco todos mis ingredientes afuera en una fila por todo el mostrador de acuerdo al orden en el que los utilizaré (de izquierda a derecha). Después de medir y colocar en el tazón, yo coloco el contenedor de vuelta. Esto no solo es un buen método para mantener su cocina limpia, sino que además me ayuda a recordar lo que ya he agregado, ya que usualmente me interrumpen por lo menos una docena de veces cuando estoy tratando de concentrarme.

Yo también hago esto cuando me estoy arreglando por las mañanas y me estoy maquillando, ya que siempre "estoy pensando en algo." Antes de este método, se me olvidaba aplicarme desodorante o verme en el espejo luego de horas de haberme vestido, ¡solo para darme cuenta que se me había olvidado aplicarme el rímel!

Algunos otros secretos para hornear:

• Al hornear galletas, solo hornee una bandeja a la vez y voltéela cuando ya vaya a la mitad del tiempo de hornear, a menos que a algunos les gusten las galletas crujientes, entonces déjela en el mismo lugar para obtener una variedad en cuanto al punto de horneo (las más crujientes estarán al final del horno).

• Mis hijas también dejan caer la bandeja para hacer que las galletas "caigan" lo cual las hace más masticables.

• De igual manera, deje que la plancha se enfríe antes de colocar más masa en la misma. Si usted coloca la masa en una bandeja para galletas caliente, estas se van a extender y quedar muy delgadas.

• Invierta en comprar una cuchara metálica para galletas para tener galletas horneadas de forma uniforme que son más fáciles y rápidas de hacer. Las cucharas de metal pueden ser difíciles de hallar, pero vale la pena la búsqueda.

Las galletas más fáciles

Mi hija menor desesperadamente quería hornear, pero yo pensaba que ella estaba muy joven, ¡hasta que encontré esta receta que comprobó convertirla en una pastelera sumamente talentosa!

1 caja de mezcla para pasteles
1/3 taza de aceite
2 huevos
Azúcar de polvo

Precaliente el horno a 350° (180 °C) luego revuelva (a mano) la mezcla seca para pastel, el aceite y los huevos en un tazón grande hasta que se forme una bola de masa. Espolvoréese las manos con azúcar y haga bolitas de 1 pulgada con la masa. Haga rodar las bolitas en azúcar y colóquelas a dos pulgadas de distancia cada una en las bandejas para hornear.

Hornee de 8-10 minutos o hasta que el centro esté listo, no pegajoso. Retire de las bandejas luego de que haya transcurrido un minuto y déjelas enfriar en bandejas de rejilla.

• Macy hizo primero galletas de chocolate agrietadas usando una mezcla para pastel de chocolate.

• Luego hizo Snickerdoodles (galletas simular al las de azucar, pero con una crema de tartar) utilizando una mezcla para pastel color amarillo y pasándolos por azúcar con canela.

Las posibilidades son ilimitadas, al igual que los cumplidos que ella recibió. Uno de sus hermanos mayores estaba emocionado de llevar una bolsa de estos al trabajo para compartir con sus compañeros ¡quienes no podían creer que su hermanita de 10 años los hubiera hecho!

Una vez que su hija se haya vuelto experta haciendo estos, ¡entonces será un paso fácil hacia las demás recetas para hacer galletas!

Galletas de chispas de chocolate extraordinarias

No importa cuán grandiosas sean sus galletas de chispas de chocolate, ¡las mismas nunca podrán compararse a esta receta! Mi hermano, quien es un profesor en Japón, pide estas galletas tan solo minutos después de haber entrado por nuestra puerta principal cuando él viene de visita.

Le daré las medidas de la doble tanda doble que nosotros utilizamos. Permita que todos tomen "su ración" cuando estas salgan del horno. Luego coloque las galletas "enfriadas" en un contenedor hermético y congele el resto.

Cuando viene visita o simplemente alguien "pasa visitando", saque estas (o cualquier otro tipo de galletas que usted haga) del congelador y colóquelas sobre un plato. Haga un buen café o una jarra de té y para el momento en el que el café esté listo, ¡las galletas se habrán descongelado para servirlas a sus invitados, quienes estarán encantados!

Mezcle en un tazón mediano que pueda usarse en microondas:
2 barras de mantequilla, derretida 2 minutos en el microondas
1 taza de Crisco
1-1/2 tazas de azúcar
1-1/2 tazas de azúcar morena
2 cucharaditas de vainilla

Mezcle en un tazón grande:
4-1/2 tazas de harina

2 cucharaditas de polvo de hornear
2 cucharaditas de sal

Coloque los ingredientes secos sobre los ingredientes húmedos y agrégueles cuatro huevos y luego dos bolsas (o cuatro tazas) de chispas de chocolate. Hornee a 375° (190 °C) por 9-11 minutos.

Galletas de mantequilla de maní

Ya sé que sueno como un disco rayado cuando le digo lo delicioso que algo es, pero estas son las mejores galletas de mantequilla de maní que he probado. ¡El secreto está en que usted utilice mantequilla de maní "crujiente"!

Mezcle en un tazón mediano que pueda utilizarse en microondas:
1 taza (2 barras) de mantequilla, derretida
1 taza de mantequilla de maní crujiente
1 taza de azúcar
1 taza de azúcar morena

Agregue:
2 huevos y 1 cucharadita de vainilla

Mezcle en un tazón más pequeño:
2-1/2 tazas de harina
1 cucharadita de polvo de hornear
1-1/2 cucharadita de bicarbonato de sodio
1/2 cucharadita de sal

Combine ambos tazones

DEJE ENFRIAR EN EL REFRIGERADOR DURANTE TRES HORAS

Forme las galletas con cucharadas de la masa y páselas en azúcar. Presiónelas con un tenedor haciendo un patrón entrecruzado. Hornee a 375° (190 °C) por 10-12 minutos.

Galletas rancheras de caramelo masticable

Usted verá que estas son las mejores galletas que usted alguna vez ha comido, ¡garantizado! Desafortunadamente, tuvimos un grupo de invitados que nos rogaban que las hiciéramos y las "sobre-comimos".

Mezcle en un tazón mediano:
1 taza de manteca
1 taza de azúcar
1 taza de azúcar morena

_____

Agregue 3 huevos

_____

Mezcle en un tazón pequeño:
2 tazas de harina
1/2 cucharadita de sal
1/2 cucharadita de polvo de hornear
1 cucharadita de bicarbonato de soda
1 cucharadita de vainilla
2 tazas de avena
2 tazas de hojuelas de maíz (cereal de maiz)

_____

1-1/2 paquetes de pedacitos de toffee - caramelo (bolsa de 10 onzas)

Mezcle los ingredientes secos, mezcle los húmedos, combine, y luego añada los pedacitos de toffee (caramelo).

Hornee en una bandeja para galletas BIEN ENGRASADA a 350° (180 °C) por 10 minutos. Asegúrese que estén oscuras en las orillas; si no están bien horneadas en realidad no son buenas. Deje enfriar en una bandeja de rejilla para un mejor sabor.

Nota: Su espátula se pegará al utilizarla para despegar las galletas de la bandeja. Así que luego de despejar tres galletas, limpie el extremo de la espátula con un trapo húmedo.

Galletas de avena agrietadas

Nunca en su vida usted ha probado galletas como estas. El año pasado nuestro pastor anunció cuanto le gustaban las galletas de avena. ¡Cada uno de mis hijos se inclinó hacia adelante en el banco de la iglesia para dirigirse a mí en el sentido de que necesitaba traerle algunas de mis galletas! ¿Acaso no es maravilloso tener fans?

Mezcle en un tazón mediano que pueda utilizarse en microondas:
4 barras de mantequilla, derretida
4 tazas de azúcar
4 huevos
2 cucharaditas de vainilla

Mezcle en un tazón pequeño:
2 tazas de avena
2 tazas de pasas (opcional)
5-1/2 tazas de harina
3 cucharaditas de bicarbonato de soda
1/2 cucharadita de sal

Combine ambos tazones. Haga la masa una bola y luego pásela entre 2/3 de taza de azúcar. Hornee en horno precalentado a 350° (180 °C) por 15 minutos hasta que estén infladas y ligeramente doradas.

Pastel de dulce de chocolate

Esta receta de pastel de chocolate, con la subsiguiente receta de la cobertura, es el pastel más delicioso que usted haya probado. Para un pastel más gustoso (esto es lo que yo hago para los pasteles de los cumpleaños de mis amigos), espárzale en la primera capa conservas de frambuesas, y luego la cobertura. ¡¡Increíble!!

Le advertiré que es un pastel muy denso y sabroso. Normalmente yo utilizo una caja de mezcla para pastel junto con la receta de la cobertura de abajo.

3 tazas de harina (remuévale 6 cucharadas)
1-1/2 cucharaditas de polvo de hornear
3/4 de cucharadita de sal (1/2 & 1/4 de cucharadita)
3/4 taza de mantequilla (1-1/2 barras)
2-1/4 tazas de azúcar
1-1/2 cucharaditas de vainilla
3 huevos
3 (1 onza) cuadros de chocolate para hornear sin azúcar, derretidos
1-1/2 taza de agua helada

Precaliente el horno a 350° (180 °C). Engrase generosamente y luego enharine tres moldes redondos (9 pulgadas) para pastel. Tamice la harina, el polvo de hornear y la sal en un tazón de tamaño mediano. Creme la mantequilla en un tazón grande; luego, gradualmente agregue el azúcar y la vainilla y bata la mezcla hasta que esté esponjosa.

Añada los huevos, uno a la vez, moviendo bien luego de añadir cada uno. Mezcle el chocolate derretido. Ahora añada los ingredientes secos, alternando con el agua helada. Mezcle la masa durante dos minutos. Colóquela en los moldes engrasados y enharinados.

Hornee en horno precalentado durante 30-35 minutos o hasta que un palillo de madera salga limpio. Enfríe los moldes en una bandeja de rejilla por 10 minutos. Luego, sáquelos de los moldes y deje que se enfríen completamente.

La cobertura MÁS LIVIANA

¡Cuando mis amigos tienen una fiesta, me piden que les lleve mi pastel como su "regalo de cumpleaños"!

1/3 de taza de azúcar de polvo
1 caja (3-1/2 onzas) de pudin instantáneo de vainilla
3/4 de taza de leche fría

Bote de 8 onzas de Cool Whip (marca de crema batida) (¡Yo he tratado, sin éxito, de utilizar verdadera crema de batir, pero si usted alguna vez lo logra, por favor envíeme la receta!)

Mantenga todo muy frío colocando su tazón y sus batidores en el congelador. Mezcle los primeros tres ingredientes a velocidad rápida por alrededor de dos minutos hasta que estén duros. Cuidadosamente agregue el Cool Whip con una espátula de hule. ¡Eso es todo!

Para mayor variedad, utilice diferentes sabores de mezcla de pudín con diferentes tipos de pastel y vuélvase creativa. Para nuestro último cumpleaños, el de Tara, yo utilice fresas frescas y use el jugo (luego de rebanarlas de forma delgada, cubrirlas con azúcar y refrigerarlas) como el líquido en el pastel, y en lugar de la leche. Luego esparcí las fresas en el centro y hasta arriba y a los lados. ¡No solo delicioso sino que además impresionante!

Delicioso pan de jengibre

Mi madre dice que ella era conocida por su delicioso pan de jengibre, pero de alguna manera perdió la receta. Ella dice que este pan es tan delicioso como el de ella, pero aún así le gustaba contarme la historia de cómo ella solía hacer el de ella en un sartén de hierro fundido cada vez que yo le hacía mi pan de jengibre.

Este puede ser servido como un postre, como un sabroso desayuno o como un bocadillo. ¡Sorprendentemente delicioso!

1 barra de mantequilla
3/4 de taza de azúcar morena empacada firmemente
1 huevo batido
1/2 taza de melaza ligera
1 taza de leche
2-1/2 tazas de harina
1/2 cucharadita de sal
1 cucharadita de polvo de hornear
1 cucharadita de bicarbonato de soda
1 cucharadita de jengibre molido
1 cucharadita de canela
Azúcar para la parte superior

Precaliente el horno a 375° (190 °C). Engrase generosamente un molde para hornear cuadrado de nueve pulgadas. Creme la mantequilla y el azúcar. Agregue el huevo, la melaza y la leche; muévalo hasta que esté bien mezclado. Tamice la harina, la sal, el bicarbonato de soda, el polvo de hornear, el jengibre y la canela.

Batir hasta que esté mezclado. Verter en el molde engrasado, espolvorear con azúcar y hornear en horno precalentado durante 30 minutos o hasta que el palillo de madera salga limpio. Servir tibio o a temperatura ambiente.

Pan de maíz dulce

Esta receta no es del sur. En el sur, el pan de maíz no es para nada dulce y es horneado en sartenes de hierro fundido (yo nunca he adquirido el gusto por el pan de maíz sureño). Sin embargo, usted no creerá lo delicioso que es este pan de maíz dulce. ¡Es tan sabroso que si alguna vez sobra un poco, es consumido a la mañana siguiente por el primer hombre (o mujer) que se despierte!

1 taza de harina
1 taza de harina de maíz
1/2 taza de azúcar
4 cucharaditas de polvo de hornear
3/4 de cucharadita de sal
2 huevos, batidos levemente
1 taza de leche
1 barra de mantequilla
1/2 taza de maíz dulce congelado

Precaliente el horno a 425° (220 °C). Engrase generosamente un molde cuadrado de nueve pulgadas. En un tazón mediano combine la harina, la harina de maíz, el azúcar, el polvo, y la sal. Agregue los huevos, la leche y la mantequilla. Mezcle solo hasta que esté bien revuelto. Colóquelo en el molde engrasado. Hornee en el horno precalentado durante 20-25 minutos o hasta que el palillo de madera salga limpio y la parte superior este ligeramente dorada. Sirva tibio.

Si usted necesita duplicar la receta, usted puede mezclar las masas juntas, pero hornéelas en dos moldes cuadrados de nueve pulgadas, para que se cocinen del centro.

Este pan puede comerse como postre, es tan bueno; sin embargo, nosotros usualmente lo comemos con nuestra cena de pollo frito y nuestro chil.

Medidas equivalentes

3 cucharaditas	=	1 cucharada
4 cucharadas	=	1/4 taza
8 cucharadas	=	1/2 taza
12 cucharadas	=	3/4 taza
16 cucharadas	=	1 taza

Medidas líquidas

2 cucharadas	=	1 onza
2 onzas	=	1/4 taza
4 onzas	=	1/2 taza
6 onzas	=	3/4 taza
8 onzas	=	1 taza
2 tazas	=	1 pinta
4 tazas	=	1 cuarto

Medidas secas

4 onzas	=	1/4 libra
8 onzas	=	1/2 libra
12 onzas	=	3/4 libra
16 onzas	=	1 libra

Capítulo 14

Sacando el mayor provecho de las

Comidas rápidas y sencillas

¡Comidas que trabajan para que usted no tenga que hacerlo!

Se levanta de madrugada,
da de comer a su familia
y asigna tareas a sus criadas.
—Proverbios 31:15

Mientras nos volvemos organizadas en nuestros hogares y tratamos de estar dos pasos adelante, en lugar de cinco pasos atrás, existen algunos días que aún son frenéticos; por lo tanto, las comidas sencillas son necesarias. Siendo la madre de siete y teniendo que alimentar una familia de nueve, yo siempre he tenido que planear de antemano y ser creativa.

No obstante que hay solo cinco niños y mi persona en casa ahora, yo tiendo a alimentar más personas ahora, ¡mis hijos y todos sus amigos!

Cuando me case yo no podía cocinar nada. Yo solo me convertí en una mejor cocinera cuando decidí humillarme. "Humíllense, pues, bajo la poderosa mano de Dios, para que él los exalte a su debido tiempo. Depositen en él toda ansiedad, porque él cuida de ustedes" (1 Pedro 5:6–7).

Cuando mi esposo me abandonó en 1989, yo les dije a las mujeres en las clases que yo daba que yo simplemente no podía cocinar. Esa semana una amiga me dijo que ella vendría y me ayudaría a hacer un delicioso y "sencillo" tarta. "Sencillo" era la palabra que yo estaba buscando. Ella vino y paso a paso me enseñó a hacer la receta de tarta que está en el capítulo previo. ¡Era Dios haciendo algo nuevo en mi vida!

Pronto, muchas mujeres comenzaron a darme recetas con la palabra "sencilla" en el título, y yo estaba progresando muy bien. Ahora, yo quiero compartir con usted algunas de las comidas más sencillas que tienen asegurado gustar mucho.

Filete de jamón cocinado en microondas

Una de las comidas más sencillas es el filete de jamón. Yo compro un jamón, le pido al carnicero que rodaje 1/2 jamón (comenzando por la parte redonda) en rodajas finas (pido "rallado", lo cual es mucho mejor) y dejo 1/2 para rodajarlo grueso. Esto me da carne para sándwiches y una cena para mi familia.

Yo agrego el jugo de una lata de trozos de piña en un trasto que se pueda utilizar en microondas y le coloco las rodajas gruesas del jamón para cocinar por alrededor de 1/2 minuto. Las primeras rodajas son para los más jóvenes, para que estén frías cuando la última rodaja sea cocinada. Yo lo sirvo con trozos de piña encima de la carne, panecillos y algún vegetal. ¡Esta comida toma tan solo 10–15 minutos hacerla!

Nachos

Yo siempre mantengo carne molida COCINADA en el congelador, y luego descongelo un poco en el microondas cuando la necesito. Si usted cocina carne molida cuando usted llegue a casa, sabe tan fresca Y puede ser utilizada para muchas comidas rápidas y sencillas.

Para nachos, agregue un paquete de sazonador para tacos o agréguele su propio condimento. Coloque chips de tortilla en una bandeja para galletas, vierta la carne para tacos y queso rallado encima, y cocine a la parrilla. Yo los sirvo con salsa para dip y todos nos sentamos alrededor de la mesa a disfrutar de una deliciosa y divertida comida.

Pollo Dallas

El nombre de esta comida es en honor a mi hijo, Dallas, quien fue capaz de hacerla a los cinco años mientras cuidaba a su hermano Easton.

Tome pechugas de pollo deshuesadas y sin piel y córtelas en trozos para comer de una mordida (¡yo hice este paso!). Luego ponga una lata de sopa de crema de pollo y un pequeño vaso de crema agria en un molde para hornear y revuélvalo. Ahora, revuelva los trozos de pollo y cocine por alrededor de una hora a 325° (160 °C). Sirva sobre arroz, fideos o una papa horneada con algún vegetal. ¡Simple y delicioso!

Quiche sorpresa

Yo siempre mantengo cortezas de tarta congeladas a mano para los cobblers y los quiches.

Cada vez que le sobre carne, queso o vegetales, ¡usted puede preparar una rápida, sencilla y deliciosa comida! Los restaurantes en California cobran seis dólares por un pedazo de quiche con las combinaciones más extrañas en sus ingredientes, ¡así que sea creativa!

Sencillamente corte todos sus ingredientes y colóquelos en una corteza de tarta ya preparada. Bata cuatro huevos con un poco de leche y viértalos encima y hornee hasta que el centro del huevo esté cocido. 425° (220 °C) por 15 minutos, reduzca a 300° (150 °C) por otros 15 minutos y luego déjelo estar por otros 10 minutos. Sírvalo con panecillos y una ensalada.

Papa horneada rellena

Cocine sus papas en el microondas. Colóquelas en un círculo, cocínelas durante 5 minutos, luego púyelas de nuevo con un tenedor para comprobar su cocimiento. Siga cocinándolas durante intervalos de 5 minutos (o menos) hasta que estén cocidas.

Luego, si le gustan las cáscaras doraditas trasládelas a su horno por unos 10 minutos, mientras usted prepara el resto de ingredientes. Saque sus carnes sobrantes, vegetales, quesos, crema agria y pedacitos de tocino para verter sobre su papa. ¡Es mejor y mucho más barato que cualquier restaurante que sirve la misma cosa!

Pollo frito sureño

Mi vecina de al lado me dio la receta secreta de su familia por la cual ella era tan famosa. No obstante que ella utilizaba pollo regular en trozos, yo utilizo pollo sin hueso y sin piel. Sumerja el pollo en suero de leche y luego en harina con levadura que tenga sal y pimienta. Fríalo en aceite de maní a temperatura muy alta (solo no deje que se queme). La carne es tan jugosa y sabrosa, ¡incluso la que no tiene piel!

Chuletas de cerdo

Mi madre, a quien bendigo, no podía cocinar, pero **todos** amaban sus chuletas de cerdo (si a usted no le importaba que estuvieran quemadas). Su secreto estaba en espolvorearle sal sazonada a cada chuleta, pasarla por harina, y freírla en aceite. Yo ahora compro las chuletas sin hueso que tienen menos grasa y tienden a ser más gruesas y más jugosas. Sírvalas con compota de manzana para el verdadero estilo McGovern (ese era el nombre de mi criada).

Enchiladas

Si usted mezcla su carne molida cocinada o pollo en lata con su salsa favorita de tacos y un poco de agua o con salsa, su carne está lista—solo necesita armar sus enchiladas.

Caliente las tortillas de maíz en el microondas para que estén suaves, vierta su carne y enróllelas. Cúbralas con salsa enlatada de enchilada, espárzales queso y hornéelas por alrededor de 15 minutos a 350° (180 °C).

Las enchiladas se acompañan bien con frijoles refritos (en lata) y chips de tortilla. Si a usted le gusta el arroz español, cocine arroz blanco con el jugo de tomates estofados y un poco de sal y pimienta.

Las recetas *favoritas* de mi familia

Tortitas de atún

Esta era una receta que mi mamá acostumbraba a hacer y es similar a las tortitas de cangrejo más caras. En realidad mis hijos se vuelven locos con ellas.

Utilice el atún que viene enlatado con aceite, pique un poco de cebolla (puede utilizar un procesador para esto), y agregue un huevo crudo por lata grande de atún (esto ayuda a unir el atún y la cebolla). Mézclelo temprano en el día. Si usted quiere el método simple, fríalas en una plancha, pero la forma más *sabrosa* es freírlas en aceite (ocasionalmente salpican y se revientan, así que tenga cuidado).

Utilice una cuchara para galletas de tamaño mediano para tener la medida correcta. Aplánelas como hamburguesas (puede llamarlas Hamburguesas de Atún si lo prefiere), y freírlas hasta que estén doraditas de cada lado. Nosotros las servimos con macarrones estilo coditos, y preparamos una salsa con una lata de sopa de tomate con un poquito de agua. La salsa puede ir encima de ambas cosas, o solo encima de los fideos, de acuerdo al gusto del individuo.

Tarta de pollo

Utilice cualquier carne de pollo que usted desee para llenar el fondo del molde que usted planea utilizar. Yo acostumbraba a hervir pollo deshuesado en caldo, y lo dejaba enfriar antes de desmenuzarlo. Después del Y2K, tenía a mi disposición un suministro de por vida de pollo enlatado y carne de pavo (¡en realidad nos alcanzó para casi cinco años!).

Caliente una lata de sopa de crema de pollo mezclada con tan solo un poquito de leche (alrededor de 1/4 de la lata) en una cacerola, y viértala en un plato que pueda utilizar en el microondas.

Adiciónele un poco de vegetales mixtos (le puede agregar trozos de papa también si están cortados de tamaño pequeño) y el pollo, y cubra la mezcla con la corteza del tarta que se encuentra refrigerada (si usted prefiere más corteza, usted puede cubrir la parte de abajo del molde con otra corteza). Corte hendiduras en la parte de arriba para que el vapor pueda salir, y hornee a 425° (220 °C) por 30 minutos o hasta que la corteza esté dorada suave.

Carne asada

La carne asada no es algo nuevo, pero déjeme incentivarla a colocar la suya en una olla de cocimiento lento con todo y sus condimentos (nosotros utilizamos una mezcla de sopa de cebolla deshidratada). Usted la puede dejar cocinando mientras está en la iglesia. Si usted la coloca congelada, asegúrese que la olla esté en la potencia más fuerte, y si usted planea usar una carne barata, con menos grasa, asegúrese de colocarla desde la noche antes de ir a la iglesia.

Coloque algunas papas en su horno para que se cocinen a temperatura baja alrededor de 325° (160 °C). Cuando su familia regrese de la iglesia, usted puede tener una cena lista para la hora en la que ellos se cambien de ropa y se sienten en su mesa (ya arreglada).

Salsa

Un asado es normalmente seco y no produce mayor interés sin una salsa, al menos para la mayoría de hombres. Mi exesposo era un fanático de la salsa y mis hijos heredaron su preferencia. Yo intenté aprender la técnica de mi madre; sin embargo, como el destino lo quiso, yo nunca aprendí. La verdad es que su salsa, aunque quedaba blanda, tenía muy poco sabor porque ella utilizaba leche como líquido.

Una noche, hace años, fuimos invitados a una cena que se estaba realizando en la iglesia para todos los nuevos miembros. Era una iglesia pequeña, y las ancianas utilizaban esta ocasión periódicamente para dar la bienvenida a las nuevas familias. En el menú estaba un asado con puré de papas y SALSA. ¡Mi exesposo estaba en el cielo!

No solo la carne estaba suave, ¡sino que además la salsa estaba espectacular! Mi ex le mencionó a nuestro mesero que si él no estuviera casado, él se casaría con la persona que había hecho esta deliciosa salsa.

Cuando la cena terminó, un hombre mayor muy amable se acercó a él y le dijo, "¡Escuché que usted quería casarse conmigo!" Mi exesposo estaba sorprendido hasta que el hombre continuó, "¡yo hice la salsa!" Aunque él no se casó con este hombre, JAJAJA (riendo en voz alta), ¡él sí se casó, pero soy yo quien aún hace la salsa!

Aquí está la receta que es fácil y siempre deliciosa, ¡sin importar qué clase de carne usted esté sirviendo!

Cuando su carne se esté cocinando, vierta agua en una jarra de vidrio o en un contenedor de Tupperware con una tapadera apretada. Coloque un poco de harina en él y muévalo hasta que se vea como si fuera leche. Para una salsa más cremosa, utilice más harina con el agua de modo que se vea como una crema densa. Para una salsa más blanda, coloque suficiente harina para que se vea como leche descremada. Ahora, vierta el jugo de la carne en una cacerola y llévelo a ebullición.

Con un batidor, comience a batir el jugo de la carne hirviendo, y lentamente vierta la combinación de la harina y el agua. Vaya despacio, y calcule el espesor que le gusta a su familia, luego pare. Recuerde, usted siempre puede añadir harina/agua para hacerla más espesa, así que tenga cuidado de no añadir demasiado jugo.

Si no tiene mucho jugo de la carne, haga su salsa más liviana, añadiéndole MENOS harina/agua, para que se aumente. ¡Yo prefiero una salsa más liviana ya que tiene más sabor!

Lasaña fácil

¡El truco para hacerla más fácil es no tener que cocinar la pasta! Para lograr esto, simplemente utilice el doble de la salsa de lo usual y asegúrese de que cada lasca de pasta esté bien cubierta con la salsa. Además, hágala con antelación para que pueda reposar por un par de horas antes de hornearla.

1 paquete de pasta para lasaña
2 jarras de la salsa favorita de su familia
1 pequeño paquete de queso ricotta
2 paquetes de queso mozzarella
Queso parmesano

Mezcle el queso ricotta con un paquete de queso mozzarella. Usted puede sazonar el queso con ajo o mezclarle un poco de espinaca si desea, pero mi familia lo prefiere solo. Vierta suficiente salsa para cubrir un molde. Coloque tres lascas de pasta y vierta salsa encima (si la pasta no está cocida, dele la vuelta y cubra el otro lado).

Ahora, unte la mitad de la mezcla de queso encima de la pasta. Coloque otra fila de tres lascas de pastas encima y cubra generosamente con salsa (de nuevo de ambos lados si la pasta no está cocida). Unte la mitad sobrante de la mezcla encima de la pasta y coloque una fila más de tres lascas de pasta encima y cúbrala generosamente con salsa; dele la vuelta y vierta más salsa encima para que ambos lados estén cubiertos. Termine con el paquete sobrante de queso mozzarella, y espolvoree queso parmesano encima del queso. Cubra con papel aluminio y hornee a 350° (180 °C) durante 45 minutos, remueva el papel aluminio y hornee durante 10 minutos más hasta que el queso quede doradito. ¡Déjela enfriar durante 15 minutos mientras prepara la ensalada!

Recientemente la prometida de mi hijo me contó que su madre se lesionó la espalda, así que ofrecí llevarle la cena para ayudarla. Cuando recogí mi molde, ella me contó que a todos, incluyendo a los comensales más melindrosos, LES ENCANTÓ esta simple receta y se la comieron toda. ¿Acaso no es eso de lo que se trata? ¡Gracias Señor!

Pastel de carne

Hay muchas maneras de ser creativa con el pastel de carne. Déjeme compartirle una de las mías, para que después usted deje fluir su creatividad y desarrolle nuevas recetas por sí misma. El pastel de carne mexicano es un favorito de mi familia. Utilice las migajas de sus chips de taco (usted también puede utilizar los chips saborizados) para reemplazar la miga de pan. Utilice salsa para tacos para remplazar la kétchup y condimento para tacos en vez de su sazonador (¡solo sea cuidadosa de no utilizar mucho sazonador!). Sírvalo con arroz, frijoles, y chips de tortilla.

Al cambiar el molde que utiliza, usted puede encender el entusiasmo de su familia. Utilice dos moldes para tarta y el pastel de carne puede ser cortado en pedazos de tarta. Sirva su puré de papas con una cuchara de helado y se verá como un tarta a la moda. ¡Divertido y fácil!

Guisado de carne espeso

El guisado es simplemente usar carne guisada o cortar un asado barato. Yo lo he hecho de muchas maneras, pero durante una crisis, cuando se me olvida colocarlo temprano en la olla de cocimiento lento, he encontrado la forma más sabrosa de prepararlo con la carne más suave.

Corte su carne en pedazos pequenos, más como pedazos del tamaño de un bocado. También corte sus papas en trozos pequeños. Luego coloque tanto la carne como las papas en una cacerola, cúbralas con agua alrededor de una pulgada por encima, y añada sazonador (nosotros también utilizamos una mezcla de sopa de cebolla para mayor facilidad y sabor que mi familia comerá). Traiga a ebullición y hiérvalas hasta que la carne esté suave y las esquinas de las papas estén redondeadas y suaves.

A unos minutos de servir añada sus vegetales. Los vegetales congelados toman tan solo unos minutos (ya que son escaldados justo antes de ser congelados) y se mantienen frescos un poco más. Los enlatados ya están tiernos, así que solo colóquelos el tiempo necesario para que estén calientes.

Si a usted le gusta su guisado *espeso*, lea esto. Mi madre acostumbraba "enharinar y freír" su carne antes de cocinarla en el guisado como la mayoría de mujeres hacen. Ya que a mí gustaba utilizar mi olla de cocimiento lento, yo obvie este paso. Sin embargo, yo fui incapaz de duplicar la salsa espesa, y mi familia, especialmente mis chicos, rogaban por la salsa. Yo oré y encontré otra manera—

voila, ¡salsa!

Cuando su guisado esté listo, alrededor de 10–15 minutos antes de servirlo, simplemente mezcle la harina y el agua en la jarra (vea la receta de la salsa arriba). Mientras revuelve el guisado, lentamente vierta la harina y el agua en su guisado hasta que agarre la consistencia deseada; luego pruebe. Puede que tenga que añadirle un poco más de sazonador para que recupere el sabor.

Recetas de la olla de cocimiento lento

Pollo a la parmesana

Coloque su salsa de espagueti favorita (con un poco de agua) en la olla de cocimiento lento con algunas pechugas de pollo deshuesadas o caderas. Cocine todo el día. Cocine alguna pasta y un vegetal (calabacín o zuchinni es delicioso con esta receta). Luego coloque una pechuga o cadera encima de la pasta con la salsa y espolvoréela con queso parmesano. ¡Yum!

Guisado de carne en olla de cocimiento lento

¡Sus chicos amarán su guisado si usted les dice que es lo que los vaqueros comían! Coloque carne guisada y cualquier vegetal sobrante o congelado que usted tenga por ahí. Añada sazonador (yo utilizo la mezcla de sopa de cebolla de Lipton). Cocine todo el día y sirva con panecillos o pan (como los vaqueros). Para variar esto, yo hago el guisado espeso al añadirle harina mezclada con agua, la agito en un contenedor de Tupperware o en una jarra (vea Guisado de Carne Espeso arriba). Además, usted puede añadir tomates guisados y frijoles para mayor variedad y nutrición extra.

Sándwiches de barbacoa

Uno de nuestros lugares favoritos para comer barbacoa tenía unos sándwiches de carne picada increíbles. Mi exesposo comentó que tenían un sabor como a vaqueros (usted puede utilizar cualquier marca de salsa de barbacoa que le guste). Yo coloco carne guisada en la olla de cocimiento lento, le vierto salsa encima y la cocino todo el día. Al final del día, no remueva el agua, solo deshaga la carne con una cuchara de madera y añádale más salsa si desea. Sírvala en un pan de hamburguesa o en una tostada texana.

Otra favorita es cuando utilizo esta misma receta, pero en lugar de carne guisada uso pechugas de pollo deshuesadas. Ambas son muy buenas recetas para servir a sus invitados.

Más recetas

Pedirles recetas a sus amigas es la mejor manera de encontrar comidas grandiosas y de darles a sus amigas el beneficio de un verdadero cumplido. Si usted no sabe cocinar, haga lo que yo hice—humíllese a sí misma y pida ayuda.

Asegúrese de ver algunos programas de cocina para inspirarse. Muchos de los shows ahora están orientados a mujeres que no fueron instruidas en la cocina, de hecho muchos son de mujeres que aprendieron cocinando por sí mismas que siendo chefs.

Si a usted le gusta algún tipo de comida en particular y no sabe cómo prepararla, intente visitar este sitio web que yo encontré recientemente.

www.recipezaar.com

Un día yo estaba ocupada tratando de cocinar (creo que tenía la casa llena de refugiados de una tormenta de hielo) y mi hermana me pidió que propusiera una comida para la directora del hogar compartido donde ella vive. Su directora mujer había asistido a uno de mis seminarios de "planeando sus comidas una vez al mês" (del capítulo 10) y decidió pedirle a cada uno de los residentes que propusieran *dos* de sus comidas favoritas para que fueran preparadas cada mes. ¡Brillante idea!

Mi hermana y yo decidimos que la comida mexicana era su favorita, y que la sopa de tortilla sería una cena especial. Así que me metí a internet para buscar una receta y "tropecé" con el sitio web de arriba como una respuesta a mi oración.

Lo que más me gusta del sitio web son las calificaciones (de una a cinco estrellas) y las críticas (asegúrese de programar su "búsqueda" basada en las críticas). Yo leo todas las críticas (luego de que las ordeno en base a las críticas; escogiendo las de cinco estrellas) para saber POR QUÉ a las personas les ha gustado la receta (en caso de que sea exactamente el por qué a mi familia no le gustaría).

La otra cosa grandiosa acerca de este sitio web es que usted puede crear la receta según la cantidad de comensales a los que les servirá (al cambiar el tamaño de la porción en la parte superior derecha), y le da la opción de imprimir una receta fácilmente.

Además hay muchas otras opciones que usted encontrará en el lado izquierdo del sitio web tales como: Añadir al Libro de Cocina, Añadir al Plan de Comidas, Añadir a la Lista de Mercado, y Añadir al Menú. ¡Vaya a echar un vistazo y vea si le resulta de utilidad!

Algún día quizás tome el tiempo para publicar todas mis recetas para compartir con otras personas ¿o acaso *son castillos en el aire? (La frase castillos en el aire es definida como una noción no realista: un objetivo, una esperanza o un plan tan fantástico que es poco probable que se lleve a cabo.)

Capítulo 15

Sacando el mayor provecho de la

Ropa

Comprar y lavar la ropa

. . . nada les faltó,
Sus vestidos no se gastaron . . .
—Nehemías 9:21

La ropa es muy cara para comprar y / o reemplazar si está manchada, arruinada o en mal estado. Por lo tanto, es muy importante mantener a su familia como "hijos del Rey" manteniendo su ropa limpia y en buen estado. Incluso si tiene dificultades financieras, generalmente puede vestirse bien con tantas ventas de garaje y tiendas de segunda mano disponibles en la actualidad.

¡Incluso si usted es una familia de un solo ingreso o está divorciada, tiene la promesa de que "la que se quede en casa dividirá el botín"! (Salmo 68:12).

Incluso si no puede pagar las ventas de garaje o las tiendas de segunda mano, hay tantas familias que simplemente "buscan" a alguien que pueda usar la ropa pasada de edad de sus hijos, así que haga saber sus necesidades. Primero hazle saber a Dios acerca de tus necesidades a través de la oración. Dios nos dice que Él suplirá todas tus necesidades, pero quiere que le preguntes.

En segundo lugar, dé a conocer su necesidad de ropa mencionándola a alguien que claramente está "pasando por" tener hijos y tiene hijos un poco más grandes que los suyos. Una amiga mía me dijo un maravilloso ejemplo de esto. Siempre había admirado a la niña de una amiga que vestía la ropa de diseñador más hermosa. Simplemente le preguntó a su amiga qué hacía con la ropa pasada de edad. La madre ahora pasa toda la ropa de su hija a esta amiga que tiene seis hijos.

Cuando fui "liberada" de tener ventas de garaje o de tratar de ganar dinero vendiendo nuestra ropa a tiendas de consignación (como dije en un capítulo anterior), ¡nuestra familia comenzó a desbordarse de ropa! Me tomó mucho tiempo orar antes de encontrar un grupo en nuestra iglesia que les pasara ropa para que yo pudiera pasarles la ropa de Macy. Nuestra vecina me acaba de mencionar que le encanta "darme" que fue una gran bendición para mí. ¡Nunca pensé en darle la ropa de Cooper que ya no le queda! Así que asegúrese de preguntar. El resto de nuestra ropa, simplemente la doy a la tienda de segunda mano más cercana a nuestra casa. Lo simplifico colocando un bote de basura plateado con una bolsa negra con cordón marcada como "Para Regalar" para que cada vez que ya no queramos algo, pueda ir directamente a la bolsa y a la tienda de segunda mano.

Ya sea que necesite ropa o que tenga ropa para regalar, es importante que mantenga su ropa limpia, ¡de eso se trata este capítulo!

Sin embargo, antes de comenzar, quiero compartir mi corazón con respecto a las madres que hacen que sus hijos laven su propia ropa. Estoy totalmente a favor de entrenar a mis hijos (como saben en mi libro de trabajo Una mujer sabia), pero no estoy a favor de este sistema, porque me gusta *vivir* y promover la "família". Aunque nuestros hijos aprenden a cocinar, limpiar y hacer lavar la ropa, no lo hacemos "independentemente" unos de otros, sino que aprendemos a hacerlo en familia.

La sociedad como un todo le encanta "dividir y conquistar", pero nuestra propia naturaleza nos lleva a querer "pertenecer". Los cultos se aprovechan de los jóvenes, porque son "comunales" y estos jóvenes finalmente sienten que son necesarios (incluso si es tratando de vender cuentas en un aeropuerto!). No estoy diciendo que si sus hijos lavan su propia ropa terminarán siendo miembros de una secta, solo quiero enfatizar la promoción de la familia y la "servidumbre" (cuidarse unos a otros en lugar de "uno mismo") que se está volviendo tan anticuado como ser virgen antes del matrimonio. Bien, suficiente, sigamos adelante. . .

Alabado sea el Señor. Si tiene una lavadora y secadora, ¡ALABE a Dios por sus comodidades modernas! Si no tiene que lavar en una tabla, en un río, o cargar agua y hervirla, ¡alabado sea el Señor! ¡La mayoría de nosotros en los Estados Unidos no tenemos que esperar el rato para secar, sino tener una secadora de ropa! ¡Viajar por el mundo demostró lo bendecidos que somos, ya que la mayoría de los países cuelgan su ropa para secarla! ¡Tampoco tenemos que cargar carbones en nuestra plancha cuando aplanchamos nuestra ropa!

Estar agradecida. Sea agradecido mostrándole a Dios su aprecio por la ropa que tiene al:

1. Mantenla limpia: use baberos, delantales y un quitamanchas cuando usted o su familia se derramen.

2. Manteniéndola libre de arrugas: mantén el ritmo de planchado y dóblado o cuélgala tan pronto como el secador se detenga. Además, no sobrecargar su lavadora y secadora ayudará con las arrugas.

3. Mantenerlos reparados: ¡una puntada a tiempo realmente salva nueve! Aprenda a coser a mano o mantener su máquina de coser configurada con hilo blanco durante los meses cálidos e hilo negro durante los meses más fríos para una reparación rápida. Si sabe coser, pero no tiene una máquina, hay máquinas muy pequeñas, incluso manuales, que repararán una costura o una rasgadura.

Diligencia. Establecer un horario de lavado y una rutina aumentará la productividad y evitará temer este trabajo tan importante que realiza para su familia.

1. Clasifique su ropa usando tres canastas de diferentes colores: use una canasta blanca para los blancos, un color claro para sus ropa clara o brillante, y una canasta oscura para sus oscuros. Enseñe a los niños pequeños sus colores haciendo que clasifiquen su propia ropa mientras se la quitan. Una vez que están vestidos con su ropa de dormir o vestidos para el día, pueden ser entrenados para llevar su ropa sucia a la lavandería. Si lo prefiere, puede tener una canasta de lavandería en cada habitación para que se la lleven el día de la

lavandería. Sin embargo, muy a menudo los niños tiran ropa *limpia* que se prueban y no usan ni ponen ropa sucia en sus cajones que descubres una semana después. Si tiene alguna de estas situaciones, es posible que desee utilizar el primer método.

2. Establezca días, es decir, lunes, miércoles, viernes, para sus días de lavado, o puede lavar una carga tan pronto como la canasta de color esté llena. (Si le gusta este método, asegúrese de que su familia clasifique su propia ropa mientras se la quitan). Esto funciona mejor para familias más pequeñas, donde establecer los días de lavado es **imprescindibles** para familias más grandes. ¡Recientemente fui bendecida con una de esas lavadoras de carga frontal que hace 17 pares de jeans! Ahora solo tengo UN día de lavado a la semana, sin contar otro día para toallas y sábanas que hace mi hijo de 13 años.

3. Gire la ropa al revés o de la vuelta a los suéteres, medias para niñas u otros artículos que desee proteger. Enseñe a sus hijos a hacer esto por sí mismos. Si mis hijos no gira su ropa, hago un montón de toda la ropa que no está volteada y hago que un niño (el mayor culpable) gire o sacuda el resto de los calcetines de la familia. ¡Solo se necesita UNA vez para que cada niño gire los calcetines (o ropa interior) de otra persona para que recuerden girar su propia ropa!

4. Si abrochas tu ropa, se doblarán más fácilmente, pero lo más importante es que mantiene la vida de su ropa. Una cremallera deshilacha la ropa en la lavadora y especialmente en la secadora.

5. Tómese el tiempo para buscar ropa sucia o manchada, y remoje con un palillo, o lo que prefiero es el nuevo detergente líquido que uso que elimina **todo,** ¡incluida la sangre!

6. Vaya, hablé demasiado pronto. Lo único que no saca mi nuevo detergente para la ropa es algo aceitoso o grasiento. Para esto uso "Goo Gone". Si no puede encontrar esto, busque o solicite un quitamanchas de cítricos que elimine goma de mascar.

¡Sacó una mancha de un mameluco de bebé que estaba cubierto con lápiz labial rojo en solo dos lavadas! Cuando mi hermana la visitó, casi lloró cuando me dijo que su hijo (que le había rogado a su madre por un par de pantalones cortos de diseñador para el verano) tenía una mancha de aceite negro. Ella me dijo que había intentado "todo" y que no sirvió de nada. Tomó dos lavadas con "Goo Gone". Solo asegúrese de cubrir la mancha, déjela secar, luego use un detergente líquido o una barra para manchas cuando lave (se explica en las instrucciones).

7. Mi detergente favorito es NUESTRO detergente. Es un líquido, que es lo que siempre uso con mis tintes oscuros, ya que a menudo termino con marcas de polvo en colores oscuros. Utiliza una bomba, por lo que no tienes tazas sucias. Funciona con agua fría. Hace que mi ropa sea tan blanca, y los colores son mucho más brillantes. Me enteré por una revista de mujeres cristianas y se lo he contado a todos. Puede ordenar en línea en www.ourproductsonline.com. Recientemente, una vecina a quien le recomendé NUESTRO detergente me preguntó qué pensaba de sus otros productos de limpieza, que no había probado. Después de probarlos, ahora amo la mayoría de sus productos, especialmente su blanqueador en polvo. Sus productos son seguros para su piel, sin subproductos derivados del petróleo o productos químicos nocivos que no desea usar junto a la piel de su familia. Y si eso no es suficiente para convencerte de que pruebes esto, ¡me imaginé que le costó a mi familia de nueve solo $ 5.00 al mes! Ahora con mi lavadora de carga frontal uso media bomba o $ 2.50 al mes. ¡Utilizo la cantidad mínima recomendada por lavado y todavía no puedo creer los excelentes resultados y un precio tan barato! ¡Si prueba este producto, mencione mi nombre y me enviarán dinero para más de sus productos! ¡¡Gracias!!

Consejos de lavado:

1. Si quiere adelantarse al juego, recoja y clasifique su ropa por la noche y comience su primera carga de lavado: los blancos. Si pone los blancos por la noche, ahorra compitiendo con el

agua caliente que usa para las duchas por la mañana.

2. Tire los blancos, que consisten principalmente en toallas, ropa interior y calcetines en la secadora, ya que estos se colocarán antes de doblarlos. Cuando se despierte, tiene una carga que doblar, su tercera carga en la lavadora y su segunda carga en la secadora. ¡Esto me ahorra tanto tiempo que es increíble!

3. Para obtener ropa **más limpia**, no llene en exceso su lavadora.

4. Use un detergente que requiera solo un cuarto de taza. Otros tienen rellenos, que pueden quemar la ropa, causar irritación en la piel de los niños y otros miembros de la familia que tienen piel sensible, y pueden ser la causa de enfermedades y enfermedades como los trastornos autoinmunes. Nuevamente, recomiendo probar NUESTRO detergentet.

5. Aunque solía usar suavizante de telas líquido y recomendé usar una Downy Ball en ediciones anteriores de este libro, ya no recomiendo usar químicos que entren en contacto con la piel y que sean fácilmente absorbidos por el cuerpo. **Se dice que las hojas de suavizante de telas son uno de los peores productos que puede usar con respecto a su salud y, a menudo, causan erupciones cutáneas.** Un suavizante natural, especialmente para toallas, es el vinagre. Hay diferentes tipos, pero Heinz hace uno bueno que está hecho de vegetales, no de petróleo, y el vinagre es muy barato de usar. Para un aroma agradable, uso extracto de limón natural que puede obtener por alrededor de $ 5 en una tienda de alimentos saludables. Utilice aproximadamente 4-5 gotas para obtener un aroma fresco.

6. Para la ropa que no desea meter en la secadora, colóquela en una bolsa de lavandería. Todos mis hijos saben que una bolsa de lavandería no entra en la secadora. Antes de descubrir este método, tenía tantas prendas que se arruinarían al secarse. Es la secadora, no la lavadora, la que hace que la ropa se desgaste y desvanezca los colores. Así que ahora la mayor parte de mi ropa está colgada después de ponerla en un ciclo de "solo aire"

para esponjarla y sacar algunas de las arrugas.

Consejo de secado:

1. Quítese la ropa inmediatamente, dóblela o cuelguela para eliminar las arrugas.

2. Para ahorrar electricidad: seque dos cargas pequeñas juntas.

3. Sacuda la ropa mientras la coloca en la secadora, en lugar de tirar una bola gigante de ropa húmeda, para obtener menos arrugas.

4. Coloque su canasta de lavandería *debajo* de la puerta de la secadora para evitar que su ropa limpia caiga sobre el piso de la lavandería (o el garaje) sucio (o cubierto de pelusas).

5. Es la secadora, no la lavadora, la que desvanece los colores, especialmente los artículos negros. Entonces, si tiene algo que desea mantener como nuevo, no lo seque, sino que lo cuelgue para que se seque. Luego, para ayudarle a ponerse menos rígido, póngalo en la secadora durante aproximadamente 5 minutos. ¡Solo asegúrate de no olvidar que está ahí! Configuré un temporizador para no olvidarlo.

6. Mi hermana y yo solíamos rociar nuestros jeans con un poco de agua, o arrojábamos una toallita húmeda con ellos, para no tener que planchar los jeans ni nuestras camisetas arrugadas. ¡Le mostré este truco a mi hija de 13 años que pensó que era lo más lindo que había encontrado! Esto funciona para casi cualquier elemento arrugado que tenga y que no necesite aplancharse.

Consejos para doblado:

La forma más rápida de plegarse es tener cestas más pequeñas reservadas para su:

1. toallas y paños
2. calcetines

3. ropa interior

Mientras dobla, llene estas canastas con sus toallas, calcetines y ropa interior, hasta que termine de lavar toda su ropa. Doble o cuelgue el resto de la ropa inmediatamente. Mis hijos más pequeños doblan estas canastas por mí (los más pequeños hacen las toallas y los paños mientras el mayor dobla la ropa interior), pero antes los pequeños ayudantes, clasificando estos artículos y guardándolo hasta el final, reducio *mi* tiempo de doblado.

Cuando doblo una camisa o un par de pantalones, los sostengo en los hombros o en la banda de desecho y les doy una *sacudida rápida* y fuerte para suavizarlos y doblarlos rápidamente. Hay algunas madres que doblan a la "moda elegante de los grandes almacenes" que las obliga a tener que hacer todo el plegado, ya que es demasiado complicado (o ella es demasiado exigente) tener la ayuda de su familia.

¡A mi hermana también le gustan que se hagan de una manera "elegante" que le impide seguir con su doblado! Ella nunca puede lograrlo (ya que le lleva probablemente cinco veces más tiempo que a mí por carga). ¡Entonces compra más canastas de ropa, los deja sentarse y luego se ve obligada a planchar todo antes de que su familia pueda usarlo!

Si su método de plegado lo hace caer en cualquiera de estos grupos, busque una forma más simple. (Es curioso, mientras revisaba este capítulo, estaba visitando a mi hermana y doblé al menos una docena o más de cargas para liberar las cestas de la ropa. Había planeado comprarle algunas más hasta que encontré ropa LIMPIA desplegada en cestas).

Para reducir el planchado:

1. Cuelgue toda su ropa inmediatamente en perchas de plástico de colores (para planchar si es necesario).

2. Doble la ropa de inmediato, después de *cada* carga para evitar arrugas.

3. Doble la ropa íntima, medias y toallas luego de la última carga.

4. Asigne los artículos designados para que sean doblados por sus hijos (los más pequeños hasta los mayores).

    a. paños (los más jóvenes)
    b. ropa interior
    c. calcetines
    d. el resto de la ropa (hijo mayor o usted)

> *"Ella vigila la marcha de su casa*
> *y no come el pan de la ociosidade"*
> —*Proverbios 31:27*

Guardar la lavandería:

1. Haga que el "doblador de ropa" guarde lo que él /ella ha doblado en los cajones adecuados (si es posible) o al menos en la cama, la cómoda en la habitación correcta o en cestas de lavandería designadas que se llevan a la habitación más tarde una vez llenas con todas las cargas.

2. Puede hacer que cada niño guarde su propia ropa. En la granja, solía hacer que cada miembro de la familia tomara su propia pila y luego gritaba "descanso de lavar la ropa". Cada miembro de la familia tomaría un "descanso" de lo que sea que él o ella estuviera haciendo para ir a buscar su pila de lavandería y guardarlo. Funciona muy bien si todos están en casa durante el día.

3. Los lunes, o cuando se lava mucha ropa, este es el mejor momento para organizar sus cajones. Puede poner esta tarea (para organizar cajones) en las tarjetas 3x5 de sus hijos para el lunes. Luego, la ropa recién doblada se puede agregar perfectamente a los cajones recién organizados.

4. Si tiene poco espacio en los cajones, use cestas pequeñas de colores en los estantes de sus armarios para organizar su ropa, calcetines, ropa interior o zapatos. Esto es especialmente útil

con la ropa de niños pequeños. Cuando mi esposo nos dejó por primera vez, no teníamos vestidores, así que encontré algunos bloques e hice estantes con tablas. ¡Encontré canastas de plástico de dólar, que sirvieron como nuestros "aparadores" durante muchos años! Me gustó especialmente poder ver toda la ropa doblada, no repleta, en los cajones.

5. Asegúrese de tener un cajón o canasta especial para ropa interior, calcetines, ropa de dormir, camisas, pantalones y suéteres. Dentro del cajón o canasta, divídalo para separar los calcetines de la ropa interior u otros artículos más pequeños. Las cajas de zapatos funcionan bien en el cajón de calcetines y ropa interior. Menciono esto porque no fui criada de esta manera. Cuando era adolescente, creía que había "inventado" este método de tener un cajón especial para diferentes prendas de vestir, ¡sin saber que casi todos vivían así!

6. Enseñe a sus hijos a mantener sus cajones ordenados haciendo que los clasifiquen cada semana como una de sus tarjetas de tareas. No pasó mucho tiempo para que mis hijos mayores pusieran esa tarjeta automáticamente como "hecha", ¡porque *aprendieron* a **mantener** sus cajones organizados!

Consejos de planchado:

1. Planchar la ropa de tu esposo les muestra a otras mujeres en el lugar de trabajo que "hay una mujer que se preocupa por este hombre", ¡y una con la que es difícil competir! ¡Si quieres quedarte con él, no lo hagas planchar su propia ropa!!

2. Use un almidón en aerosol. Ayuda a que la ropa se vea más nueva y fresca. Puede comprar almidón líquido y ponerlo en una botella con atomizador para ahorrar dinero, y puede diluirse para adaptarse a las preferencias de crujiente suyo o de su esposo.

3. El orden correcto para planchar la camisa de un hombre es: cuello, luego puños, mangas, parte delantera izquierda, parte posterior y parte delantera derecha de su camisa.

4. No aprietes la ropa en el armario, ¡deshazte de lo que no te pones! Regla general: si compra un vestido, una camisa o un par de pantalones, **regale uno**. Dar a los pobres: "¡De y se te dará!"

5. Use perchas de colores o que combinen para que su armario se vea ordenado. Cada uno de los miembros de nuestra familia tiene un color específico, lo que ayuda a mantener las cosas en orden en nuestra lavandería y al guardar los artículos en las habitaciones y en los armarios que se comparten. Las perchas de colores son extremadamente baratas. Use el tamaño pequeño para sus hijos más pequeños y suba a las perchas grandes cuando las cosas comiencen a caerse de las perchas pequeñas. Las perchas para niños más pequeños también funcionan bien para evitar que los pantalones se deslicen hacia un extremo.

6. Recoja todas sus perchas *vacías* cuando guarde la ropa recién lavada y planchada. Tenga un lugar junto a su lavadora para colgar las perchas de diferentes colores. Algunos lugares que he usado son: una rejilla de alambre sobre mi lavadora sostiene productos de limpieza en la parte superior y tiene un lugar para colgar perchas debajo; en el borde de una mesa alta donde doblé mi ropa; y al final de mi tabla de planchar. Ahora que tengo una bonita lavandería, tengo una barra de madera en la parte superior de mi lavadora y secadora. Dios es bueno, ¿no es así?

7. Cuelgue su ropa (en el armario) en algún tipo de orden: todas sus camisas juntas, luego pantalones, sus vestidos, los abrigos siguientes y reorganícelos con ropa clara a oscura dentro de cada sección. Puede reírse, pero ayuda a encontrar lo que está buscando.

8. "Airear la ropa sucia" es el mayor error que podría cometer. Nunca comparta detalles de los asuntos personales de su esposo, su hijo o amigo con otros. "El que repite el asunto separa a los mejores amigos" (Proverbios 17:9).

Manchas:

1. Las tres cosas más importantes para recordar son: siempre verifique que no haya manchas **antes** de poner los artículos en la secadora (preferiblemente antes de ponerlos en la canasta de lavado); nunca planchar sobre una mancha; y use el método más fácil y menos cáustico **primero**.

2. Algunos de los palitos de mancha anuncian frotar la mancha antes de poner el artículo en el cesto. Me ha funcionado muchas veces. Si no funciona o si se olvida de usarlo, siga algunos de estos otros consejos:

3. Llene su lavadora a temperatura baja con agua y jabón (y NUESTRO polvo para blancos), y coloque los artículos extra sucios o manchados para agitarlos solos. Luego apague la lavadora y encienda un temporizador. Deje los artículos manchados o sucios en remojo durante solo 10 minutos. Revise las manchas de nuevo. Llene la lavadora el resto del camino y luego agregue la ropa restante. Esto funciona solo para lavadoras de carga superior y es el único inconveniente de una lavadora de carga frontal.

4. Si tiene niños pequeños, probablemente trate con muchas manchas. Cuando lo hacía, generalmente lavaba los claros antes de lavar la ropa blanca, en caso de que todos mis intentos dejaran una mancha. En este punto, uso el método más drástico y lavo un artículo claro con los blancos. Si esto todavía no funciona, vaya al siguiente paso:

5. Con extrema precaución, use cloro con un cepillo de dientes viejo, o mejor aún, compre una barra de cloro. Funciona muy bien con tela blanca, pero si debe usarlo en un artículo de color, tan pronto como la mancha desaparezca, póngalo bajo agua fría para eliminar el blanqueador. Si se usa en un artículo de color que no saldría y se arruina, creo que se arruinó de todos modos. Entonces, si el artículo se daña, o si la mancha aún no sale, intente esto:

6. Corte una etiqueta de nombre famoso de otra prenda y cósela sobre la mancha o la marca de cloro. En el momento en que se escribe esto, encontrará etiquetas en cualquier parte de la prenda. ¡Muchas veces hace que la prenda se vea más cara! Esto también funciona para cubrir un pequeño agujero o rasgadura. ¡He usado una etiqueta para actualizar una marca de ropa barata o la ropa que cosí y las mujeres me preguntaron dónde la había comprado!!

7. Use bolsas de lencería para lavar pantimedias, sostenes, medias hasta la rodilla, cualquier artículo delicado o cosas que no quiera poner en su secadora. No solo los protege en la lavadora, sino que también hace que sea más fácil recordar *no ponerlos en la secadora* donde los artículos con elástico pierden su elasticidad y los colores brillantes pierden su brillo.

Capítulo 16

Sacando el mayor provecho de la

Costura

Nociones inteligentes de costura

Extiende sus manos a la rueca,
y sus manos toman el huso.
—Proverbios 31:19

La costura es básicamente un "arte perdido" en nuestra actual sociedad, pero ya que las Escrituras nos dicen que la "esposa excelente" cose (bueno, en realidad, ella hila su propia tela, luego cose), ¡yo considero que debe ser importante o Dios no lo habría mencionado! Si usted no sabe cómo coser en lo absoluto, seguramente hay mujeres en su iglesia con quienes se puede juntar para aprender lo básico, como coser un botón, coser un dobladillo, hacer un remiendo u hacer funcionar una máquina de coser. Si usted sí cose, y cose bastante bien, tome un momento y pídale al Señor que la use para ayudar y enseñarle a otra mujer, pero primero, hágalo en su propio hogar.

¿Tiene usted hijas o hijos quienes aún no saben cómo coser un botón? Cuando un botón se pierde esa pieza de ropa pierde su valor. Así que enseñarles algunos principios básicos de costura beneficiarán a todos. Los padres envían a sus hijos al colegio para que aprendan muchas cosas que nunca serán de utilidad para su futuro, pero fallan en enseñarles habilidades como la costura, la cocina, la limpieza y realizar las compras, las cuales les ayudarán toda su vida.

Para aquellas de ustedes quienes si cosen, hablemos de algunos consejos de costura que les ayudarán a ahorrar tiempo y/o dinero.

Muchas mujeres no piensan que tengan el tiempo o que a veces es más barato comprarlo que coserlo. Algunas veces eso es cierto; sin embargo, cuando yo fui abandonada con cuatro niños pequeños, la tercera siendo una niña, yo me percaté que la costura me ayudaba a poder vestirla con el tipo de vestidos que yo no podía comprar en ese momento. Lo que me ayudó aún más es que yo tenía un distractor o hobby que me ayudaba a mantener mi mente y mis manos ocupadas cuando yo estaba tan terriblemente preocupada por mi futuro.

Consejos para ahorrar tiempo

Tijeras. Coloque sus tijeras en un pedazo de elástico y cuélguelas alrededor de su cuello. ¡Yo vi que esto lo hacía el personal de una tienda de telas y lo he hecho durante años! Usted nunca las pierde. Haga esto para sus manualidades y si usted está planeando empacar muchos regalos, como para la época de Navidad. Le ahorra mucho tiempo el no tener que estar buscando sus tijeras que se encuentran debajo de la tela o del papel para regalo.

Alfiletero. Utilice un alfiletero de muñeca. Usted nunca terminará en la máquina de coser o en el planchador sin un alfiler. Es inclusive peor si están debajo de un pedazo de material. (¡Estos primeros dos consejos reducen mi tiempo de costura por la mitad!).

Cortando patrones. Corte muchos patrones en un día en particular, mientras usted está instalada en la mesa o en el piso. Corte justo sobre la V, luego, vuelva y recorte un cuarto de pulgada en cada una de las V's. Esto también ahorra tiempo.

Patrones. Utilice el mismo patrón una y otra vez. Usted lo conocerá tan bien que le reducirá el tiempo de leer las instrucciones. Inclusive usted podrá encontrar atajos a su patrón. Usar diferentes estampados, sólidos, cuadros o rayas, así como varios botones o collares le dará a cada pieza un look diferente.

Para patrones que usted utilizará una y otra vez, haga un patrón del sobrante de la tela. Yo hice esto para el patrón del vestido de mi hija. No solo era más fácil de rehusar que el delgado patrón de papel, ¡sino que además no requería del uso de alfileres para mantenerlo en su lugar al momento de cortarlo! Yo pude continuar utilizando el patrón para mis siguientes dos hijas.

Revestimientos. No utilice los revestimientos, en su lugar alinielos, ¡es mucho más rápido! Solo corte la horquilla de la prenda doblada. ¡Usted simplemente la cose alrededor del cuello y las mangas, la gira y presiona! Utilizar una tela estampada diferente también le añade estilo a su creación ya terminada; esto es lo que los mejores diseñadores hacen. Ellos pueden utilizar un estampado y una tela totalmente diferentes, como rosado fosforescente con pequeños puntos de polca en lona azul, solo para hacer que resalte.

Un armario completo para su niño: Haga un armario para su pequeño. Haga de dos a cuatro blusas o camisas en diferentes estilos (cuello redondo, cuello cuadrado, cuello marinero, cuello corrugado), luego haga diferentes vestidos u overoles en varios colores y con ligeros cambios en el estilo. ¡Esto me ahorró tanto dinero (¡cuando yo no tenía nada!) y les atrajo a mis hijos constantes sonrisas de afecto por parte de extraños! ¡¡Los vestidos que yo confeccioné para mi hija mayor, en realidad fueron utilizados por sus dos hermanas menores y por mis nietas!!

Baberos. Haga y utilice baberos para los niños pequeños (mis hijos de cuatro años aún los utilizaban al comer). ¡Esto le ahorrará tiempo al lavar la ropa y además le ahorrará el tener que comprar nueva ropa! Yo también compré collares Battenburg en la sección de telas de Wal-Mart por alrededor de cinco dólares y los utilizaba con mis hijas cuando salíamos a comer. Para mis hijos, hice collares cuadrados que combinaban con sus overoles que no solo protegían sus ropas, ¡sino que además estilizaban lo que sea que estuvieran utilizando!

El primer babero que hice fue del resto de un atuendo de bautizo que yo hice con una toalla blanca vieja para el refuerzo. Yo también tenía un poco de encaje grueso para ponerle en la parte de afuera, y un listón de satín grueso para las pitas. Como lo dije anteriormente, cada una de mis hijas utilizó este como un babero, pero eso no es todo. ¡Cuando ellas cumplieron alrededor de tres años, lo utilizaban como un lujoso delantal cuando jugaban de disfrazarse! Nosotros todavía tenemos ese babero en la actualidad en nuestro baúl de recuerdos. ¿¿Estaba ese babero ungido o qué??

Consejos para ahorrar dinero

Comprando patrones. Compre solamente un diseño para sus chicos y uno para sus chicas. Asegúrese de que tengan variaciones de tamaño (abra el diseño antes de comprarlo y véalo por dentro para asegurarse). Yo hago un patrón de tela cortando el tamaño que necesito en otro pedazo de tela que yo no utilizaré. Cuando usted coloca su patrón de tela encima de la tela correcta, usted no necesitará alfileres para sostenerlo mientras lo corta.

Forro. Utilice como forro sus sábanas blancas a las que ya no les de uso. Usted también puede encontrar sábanas blancas en ventas de garaje o en tiendas de segunda mano o usar una tela complementaria para forrar. También recuerde utilizar diferente tela como contraste: rayas adentro de su estampado floral es una linda combinación. Conserve sus retazos de tela para este propósito. Simplemente coloque lo que tenga encima de su material para encontrar la combinación ganadora.

Comprando tela. Compre la tela cuando esté a un dólar la yarda, no más de dos dólares. Usted encontrará tela barata por todos lados si usted busca. Cuando usted necesite coser algo, revise primero su caja de telas antes de salir corriendo a la tienda.

Evite lo moderno. Compre las telas clásicas en lugar de las de moda. También haga lo mismo con sus patrones. De esta manera, la ropa puede ser utilizada por otros niños sin que se vean fuera de moda.

Los botones le pueden añadir estilo a su ropa a un precio económico. Muchas veces Wal-Mart tiene botones en oferta a 10 o 25 centavos la tarjeta. Diferentes botones, diferente corte, y diferente largo de los vestidos hace que la ropa se vea diferente aun cuando sea el mismo patrón.

Modesto y cálido: Haga pantalones bombachos para sus hijas, son buenos para vestir un atuendo, son modestos y grandiosos para mantener el calor durante el invierno.

Úselos por años. Haga los vestidos de su hija del largo de un vestido de ballet. De esa manera, ella lo podrá usar el siguiente año a la altura de las pantorrillas y el último año a la altura de las rodillas.

Enséñeles a sus hijas a coser. Como lo dije, no hay mejor forma de ayudar a sus hijos que enseñarles habilidades que las ayudarán para cuando estén casadas. Si usted no sabe cómo coser, o cocinar, o hacer otras tareas domésticas, entonces busque a una mujer que la pueda entrenar a usted y a sus hijas. El "movimiento liberador femenino" nos volvió inútiles a la mayoría de nosotras para hacer simples tareas. Esto nos hace luchar y tener pavor a las tareas diarias que podrían ser fácilmente realizadas si hubiéramos aprendido a hacerlas cuando éramos más jóvenes.

Para mayor información acerca de entrenar a sus hijas (y a sus hijos) de por vida cuando se vayan del hogar y contraigan matrimonio, asegúrese de leer *Una Mujer Sabia,* el cual está disponible gratuitamente en nuestro sitio web.

Lecturas sugeridas

Clutter's Last Stand por Don Aslett. (por el momento solo se encuentra en inglés) Todos los libros de este hombre son maravillosos, pero este es uno que es *necesario leer.* Yo me mantenía salteándome partes de este libro buscando consejos rápidos para organización, pero no había ninguno. Finalmente me calmé y leí el libro de principio a fin. Fue agradable y divertido, pero lo más importante es que cambió mi forma de ver todo aquello que me pertenece. El efecto secundario inesperado es que cambió mis hábitos de compra (yo dejé de comprar aquello que no necesitaba). Revise para ver si este libro se encuentra en su librería local. La mayoría de tiendas de libros lo tienen, o ciertamente pueden pedirlo para usted.

Side-Tracked Home Executive por Pam Young. (por el momento solo se encuentra en inglés) Luego de pensar que yo era la única que utilizaba tarjetas de 3x5 para organizar mis tareas diarias, alguien me dijo, "Oh, tú debes de haber leído *Side-Tracked Home Executive."* Fue su libro (fue escrito por dos hermanas) el que me dio la idea de usar un código de color para mis tarjetas, y me enseñó cómo adecuar tareas mensuales en mi sistema. Es muy divertido y vale la pena leerlo.

Acerca de la autora

Erin Thiele ha sido bendecida al ser la madre de cuatro varones: Dallas, Axel, Easton y Cooper, y de tres mujeres: Tyler, Tara y Macy. Su viaje para convertirse en una Mujer Sabia para su hija comenzó cuando Tyler tan solo tenía dos años de edad. En 1989, el esposo de Erin la abandonó y eventualmente se divorció de ella. RMI fue fundado cuando Erin buscó en todas las iglesias y ministerios del área donde residía pero no le fue posible encontrar la ayuda o la esperanza que ella necesitaba.

Este libro y el libro de trabajo *Una Mujer Sabia* originalmente eran un libro grande que ella escribió mientras el Señor la dirigía a preparar su hogar para el regreso de su esposo. Más adelante, esta parte de su libro acerca de la restauración fue removida de *Una Mujer Sabia* para ayudar a las muchas mujeres que el Señor le enviaba a Erin y que se encontraban en crisis.

Erin ha escrito muchos otros libros con su estilo distintivo de usar las Escrituras para ministrar a quienes tienen el corazón quebrantado y a los cautivos espirituales. "Envió **Su Palabra**, y los sanó, Y los libró de su ruina" (Salmo 107:20).

Tenemos muchos recursos para mujeres para ayudarla sin importar en que crisis usted se encuentre. Para encontrar todos sus libros, por favor visite: **EncouragingBookstore.com,** o de forma impresa a través de **Amazon.com**.

Si Dios se está moviendo en su vida y en su matrimonio, visite nuestro sitio web y conviértase en una socia: **RestoreMinistries.net** or **RMIEW.com**. En espanol, **Ayudamatrimonial.com**.

También disponible

en EncouragingBookstore.com & Amazon.com

 Cómo DIOS Puede y Va a Restaurar Su Matrimonio: Un Libro para Mujeres Escrito por Alguien Que ha Pasado por lo Mismo

 Una Mujer Sabia: Una Mujer Sabia Construye Su Casa Por una TONTA que Primero Construyó en Arena Movediza

 Mi Querida: Devoción Diaria

 Por la palabra de sus testimonios: Ninguna arma en su contra prosperará

También disponible

Nuestra serie de Vida Abundante

En la Librería Alentadora (EncouragingBookstore.com) &
Amazon.com

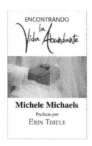 Encontrando la Vida Abundante

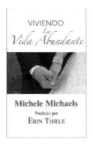 Viviendo la Vida Abundante

 Liberándose de la Mentalidad de Pobreza

Por favor visite nuestras páginas web, donde también
encontrará estos libros como cursos GRATIS para mujeres

Libros para hombres

En la Librería Alentadora (EncouragingBookstore.com) &
Amazon.com

Cómo Dios Restaurará Su Matrimonio: Hay
sanidad después de los votos quebrantados Un
libro para hombres

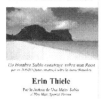

UN HOMBRE SABIO: El hombre sabio
edifica su casa sobre la Roca, el insensato
sobre arena

Por favor visite nuestras páginas web, donde también
encontrará estos libros como cursos GRATIS para hombres.

Restore Ministries International
POB 830 Ozark, MO 65721 USA

Para más ayuda, por favor visita uno de nuestras páginas de internet:

Ayudamatrimonial.com

EncouragingWomen.org

HopeAtLast.com

LoveAtLast.org

RestoreMinistries.net

RMIEW.com

Aidemaritale.com (Francés)

AjudaMatrimonial.com (Portugués)

AmoreSenzaFine.com (Italiano)

Eeuwigdurendeliefde-nl.com (Holandés)

EvliliginiKurtar.com (Turco)

EternalLove-jp.com (Japonés)

Pag-asa.org (Filipino)

Uiteindelikhoop.com (Afrikaans)

Zachranamanzelstva.com (Eslovaco)

Wiecznamilosc.com (Polaco)

EncouragingMen.org

Made in the USA
Coppell, TX
09 February 2024

28811834R00120